특허받은
분해조립식
한자

해설篇

공앤박 한자연구소 **박건호** 著

KONG & PARK

특허받은 분해조립식한자 해설篇

초판발행 2016년 1월 1일
저자 박건호 · 공앤박 한자연구소
발행인 공경용

발행처 공앤박㈜
출판등록 2008년 9월 2일 · 제300-2008-82호
주소 05116 서울시 광진구 광나루로56길 85, 프라임센터 1518호
전화 02-565-1531
팩스 02-3445-1080
전자우편 info@kongnpark.com
홈페이지 www.kongnpark.com

© 공앤박㈜, 2016

ISBN 978-89-966216-4-5 14700
      978-89-966216-0-7(세트)

머 리 말

'무연 휘발유'의 '무연'은 무슨 뜻인가? '개기일식'이란 正確히 무엇을 가리키는 말일까? 혜초가 인도를 다녀와 썼다는 기행문인 왕오천축국전의 '왕오천축국'은 무슨 뜻일까? '不定詞'란? 소수(素數)란 무엇인가? 이런 식으로 질문을 받으면 대답하기 困難한 語彙들이 꽤 됨을 알고 내가 이렇게도 우리말에 무지 했던가 할 것이다.

그러나 실은 우리말에 무지한 것도 맞지만 漢字語에 대한 지식 부족이기도 한 것이다.

우리말의 주요 부분인 명사의 대부분은 사실 漢字語이다.

韓國語나 日本語는 공히 언어의 대부분 특히 주요부분인 명사는 漢字語이고 助詞나 前置詞 接續詞와 같은 부분만 순수 자국어에 지나지 않는다.

한국에서는 한글 優待政策으로 1969년에 漢字가 廢止되고 말았다.

漢字를 폐지했다고 우리 한국 사람들이 더 愛國者가 된 것도 아니고 오히려 어떤 면에서는 文盲을 부추긴 꼴이 되고 말았다.

勿論 한자어를 모른다고 無識하다거나 세상을 뒤처지는 것은 아니다, 미국사람이나 서양 사람들이 漢字를 모른다고 우리보다 더 무식한 것은 결코 아니다.

蔽一言하고 漢字語는 결코 外來語로 볼 수 없고 우리말로 봐야 한다고 筆者는 생각한다.

따라서 漢字학습은 우리말 深化學習이므로 母國語를 정확히 驅使하기 위해서는 반드시 漢字語에 대한 학습이 竝行되어야 한다고 감히 主張하고 싶다.

1969년도에 한글학자들이 무슨 생각으로 漢字를 廢止했는지는 모르나 이들은 분명 漢字를 中國語나 漢文과 同一視했기 때문일 것이다. 무식함의 發露였던 것이다.

오랫동안 漢字가 庶子취급을 받아온 데는 千字文식 學習方法과 敎習방법이 一助를 했다고 본다. 가르치는 것도 엄연히 技術인데 개발 發展시켜오지 못한 우리 선배들의 責任이 크다 아니 할 수 없다.

筆者는 앞으로 漢字를 가르쳐야 될 선생님들이 먼저 제대로 된 漢字敎育을 받고 나름대로 더 유지 발전시켜 後學들을 가르쳤으면 하는 바람으로 감히 이 '組立 分解 漢字'를 세상에 내 놓기로 하였다.

不足한 부분이 적지 않음을 率直히 認定하므로 필자도 계속 努力을 기울이겠지만 이 책을 접할 先後輩 여러분들의 眞心어린 助言이나 協助를 부탁드린다.

조립분해한자의 창안자 朴乾晧
2009년 5월

사 람

신체

1. ①
2. ④ 높을 高(고)는 제 부수
3. ① 苦肉之策(고육지책) = 苦肉之計(고육지계) : 적을 속이기 위해 자신의 희생을 무릅쓰고 꾸미는 계책
4. ①
5. 사람의 몸에 새겨진 문신 모양
6. ④ 옷 衣(의)는 제 부수
7. ③   8. ①
9. ②   10. ④
11. ③
12. 정답이 없음 - 모두 맞는 것임

1. ㄱ +ㄴ + 心   2. 亡 + 女
3. 忄 + 亡   4. ㄱ +ㄴ
5. ++ + 亡 + 川   6. 亡 + 月 + 壬
7. 网 + 亡   8. 糸 + 罔
9. ① 소경 盲(맹)   10. 亡 + 女
11. 亡 + 心   12. 忄 + 亡
13. 亡 + 目   14. ③
15. ② 健忘症(건망증)/興亡盛衰(흥망성쇠)/敗亡(패망)/絕望(절망)
16. ③ 希望(희망)/忙中閑(망중한)/漁網(어망)
17. ③ 荒蕪地(황무지)/黃人種(황인종)/緊急狀況(긴급상황)/皇帝(황제)
18. ④   19. ①

1. 口 + 自 + 犬   2. 自 + 犬
3. 自 + 心   4. 道 + 寸
5. 自 + 穴 + 方 + 辶 6. 首 + 辶
7. ++ + 自   8. ③
9. ④ 나머지는 다 코와 관련
10. ① 息(식) - 숨 쉴 식   11. ② 나머지는 코와 관련.
12. ④   13. ①
14. ③   15. ① 냄새 臭(취)
16. ①   17. ③

1. 一 + 自 + 儿   2. 선비 彦(언) + 頁
3. 콩/제기 豆(두) + 頁   4. 터럭 彡(삼) + 頁
5. 천간 丁(정) + 頁   6. 장인 工(공) + 頁
7. 콩/제기 豆(두) + 頁   8. 선비 彦(언) + 頁
9. 손 客(객) + 頁   10. ① 머리를 강조한 글자
11. ①
12. ③ 나머지는 다 머리와 관련
13. ③ 頂上(정상)/政治(정치)/愛情(애정)/亭子(정자)
14. ② 頭狀(두상)/斗酒不辭(두주불사)/天然痘(천연두)/綠豆(녹두)
15. ④ 나머지는 머리에 달려있는 신체기관들
16. ① 顔面(안면)/安全(안전)/案內(안내)/眼鏡(안경)
17. ① 全額(전액)/腋臭(액취)/液體(액체)/橫厄(횡액)
18. ④ 必須(필수)/水泳場(수영장)/歌手(가수)/受賂(수뢰)
19. ② 낯/얼굴 面(면)

1. 亻 + 匕 + 頁   2. 步 + 頁
3. 匕 + 頁   4. 火 + 頁
5. ③ 順從(순종)/巡廻(순회)/瞬間(순간)/殉國(순국)
6. ② 頻繁(빈번)/貧寒(빈한)/淸貧(청빈)
7. ③ 濕氣(습기)
8. ③ 괴로워할 煩(번) - 불 火(화)가 부수자
9. ① 種類(종류)
10. ④ 煩(번) - 괴롭다/번거롭다/귀찮다

1. 公(공) + 頁(혈)   2. 子(여) + 頁(혈)
3. 元(원) + 頁(혈)   4. 令(령) + 頁(혈)
5. 옳을 是(시) + 頁(혈)   6. 原(원) + 頁(혈)
7. 가죽 皮(피) + 頁(혈)   8. 품살 雇(고) + 頁(혈)
9. ④
10. ② 大統領(대통령)/英國(영국)/神靈(신령)
11. ① 頑固(완고)/完璧(완벽)/腕章(완장)/緩慢(완만)
12. ④ 題(제) - 표제/이마 제
13. ② 나머지는 다 머리와 관련
14. ① 돌아볼 顧(고)

1. ④ 발 足(족)   2. ① 입 口(구)
3. ④ 귀 耳(이)   4. ③ 코 鼻(비)
5. ④ 눈 目(목)

1. 曰 + 耳 + 又　　　　2. 取 + 女
3. 耳 + 又　　　　　　4. 扌 + 最
5. 전쟁에서 전리품으로 적군의 귀를 자르는데서
6. 取 + 女　　　　　　7. 取 + 走
8. ② 最高(최고)/催淚彈(최루탄)/催眠術(최면술)/主催(주최)
9. ③ 모을/모일 聚(취)
10. ④ 聯合(연합)/連續(연속)/演技(연기)/演藝人(연예인)
11. ① 攝影(촬영)

---

1. 耳 + 壬 + 悳　　　　2. 耳 + 口 + 壬
3. 門 + 耳
4. 耳 + 천장/굴뚝 창(囪) + 心
5. 聲의 왼편 우측 + 殳 + 耳
6. 龍 + 耳
7. 바쁠 총(悤) + 귀 耳(이)
8. 龍 + 귀 耳(이)
9. ④ 壬(정)
10. ② 聰明(총명)/拳銃(권총)/總理(총리)/恩寵(은총)
11. 10번 문제와 동일
12. ④ 귀머거리 농/롱(聾) – 聾啞(농아)
13. ② 들을 청(聽) – 聽講生(청강생)

---

1. 耳 + 音 + 戈　　　　2. 言 + 찰진 흙 敢(시)
3. 실 糸(사) + 찰진 흙 敢(시)
4. 耳 + 머뭇거릴 유(尤)
5. 耳 + 由 + 어조사 우(亐)의 생략형
6. 찰진 흙 敢(시) + 귀 耳(이)
7. 찰진 흙 敢(시) + 실 糸(사)
8. 찰진 흙 敢(시) + 말씀 言(언)
9. ① 虎視眈眈(호시탐탐)
10. ④ 聘母(빙모)/招聘(초빙)
11. ① 知識(지식)/儀式(의식)/食事(식사)/植物(식물)

1. ④ 나머지는 다 눈과 관련된 글자
2. ③ 방패 盾(순) 矛盾(모순)
3. ④ 나머지는 다 보다와 즉 눈과 관련
4. ② 소경 盲(맹)
5. ① 눈 깜작일 瞬(순)　순
6. 어긋날/뒤돌아볼 艮(간) + 눈 目(목)
7. 망할 亡(망) + 눈 目(목)
8. 검을 玄(현) + 目(목) 眩氣症(현기증)/眩惑(현혹)

---

9. 조짐 兆(조) + 눈 目(목) 眺望(조망)
10. 무궁화 舜(순) + 눈 目(목)
11. 백성 民(민) + 눈 目(목)
12. ① 眼鏡(안경)/按摩(안마)/案內(안내)/便安(편안)
13. ③ 瞬間(순간)/純粹(순수)/溫順(온순)/巡察(순찰)
14. ② 矛盾(모순)/좇을 循(순)

---

1. 十 + 目
2. 나무 木(목) + 곧을 直(직)
3. 뼈 歹(알) + 곧을 直(직)
4. 사람 亻(인) + 곧을 直(직)
5. 걸을 彳(척) + 곧을 直(직) + 마음 心(심)
6. 곧을 直(직) + 마음 心(심)
7. 귀 耳(이) + 壬(정) + 덕 悳(덕)
8. 큰 집 广(엄) + 들을 聽(청)
9. ④ 심을 植(식)
10. ① 植木(식목)/休息(휴식)/裝飾(장식)/知識(지식)
11. 곧을 直(직) + 나무 木(목)
12. 곧을 直(직) + 뼈 歹(알)
13. 곧을 直(직) + 사람 亻(인)
14. 곧을 直(직) + 그물 罒(망)
15. ②
16. ④ 취할/장가들 娶(취)
17. ④ 관청 廳(청)
18. ② 둘 置(치)
19. 목수가 자재가 똑바른지 살펴보는 모습
20. ④ 아이 兒(아)
21. ③ 값 値(치) - 數値(수치)

---

1. 머리 首(수) + 점 丶(주) + 실 糸(사)
2. 매달 縣(현) + 마음/심장 心(심)
3. 적을 少(소) + 눈 目(목)
4. 눈 目(목) + 아닐/아직 未(미)
5. ④
6. ④ 참 眞(진)

---

1. 曰 + 罒 + 又　　　　2. 氵 + 曼
3. 忄 + 曼　　　　　　4. 目 + 舜
5. 조금 걸을 척(彳) + 방패 + 눈 目(목)
6. 갈 辶(착) + 방패 盾(순)
7. 十 + 目
8. 爫 + 冖 + 舛
9. ① 눈 깜작일 瞬(순)
10. 무궁화 舜(순) + 눈 目(목)
11. 방패 盾(순) + 걸을 彳(척)
12. 방패 盾(순) + 갈 辶(착)

13. 끌 曼(만) + 마음 ↑(심)
14. 끌 曼(만) + 물 氵(수)
15. 갈/쉬엄쉬엄 갈 辶(착)

1. 눈 目(목) + 사람 儿(인)
2. 구슬 玉(옥) + 볼 見(견)
3. 아비 夫(부) + 볼 見(견)
4. 귀신/보일 礻(시) + 볼 見(견)
5. 立(립) + 木(목) + 볼 見(견)
6. 볼 監(감) + 볼 見(견)
7. 황새/백로 雚(관) + 볼 見(견)
8. 學(학)의 생략형 + 볼 見(견)
9. 볼 監(감) + 볼 見(견)
10. 황새/백로 雚(관) + 볼 見(견)
11. ②　　　　　　　　12. ①
13. ③　　　　　　　　14. ③
15. ①　　　　　　　　16. ④

1. 벌레 豸(치) + 艮(간) + 心(심)
2. 墾(간) 윗부분 + 흙 土(토)
3. ① 돌아볼 艮(간)

---

1. 노란진흙 堇(근) + 艮(간)
2. 언덕 阝(부) + 艮(간)　　3. 나무 木(목) + 艮(간)
4. 갈 辶(착) + 艮(간)　　　5. 쇠 金(금) + 艮(간)
6. 눈 目(목) + 艮(간)　　　7. 마음 ↑(심) + 艮(간)
8. 丶(주) + 艮(간)　　　　9. ③ 뿌리 根(근)
10. ③ 限界(한계) ② 恨(한) ④ 防寒(방한) ① 大韓(대한)
11. 艮(간) + 目(목)　　　　12. 艮(간) + 金(금)
13. 艮(간) + 노란진흙 堇(근)
14. 艮(간) + 木(목)　　　　15. 艮(간) + ↑(심)
16. 艮(간) + 阝(부)　　　　17. ② 물러 날 退(퇴)
18. ① 좋을 良(량)

---

1. ④ 곧 卽(즉) 나머지는 보다와 관련
2. 포로의 눈을 창으로 찔러 볼 수 없게 만듦
3. ③　　　　　　　　4. ①

1. 엎드릴 臥(와) + 그릇 皿(명) + 볼 見(견)
2. 臣(신) + 人(인)　　　3. 臥(와) + 血(혈)

---

4. 臥(와) + 品(품)
5. 臨(신) + 소금 鹵(로) + 皿(명)
6. ++(초) + 監(감)　　　7. 氵(수) + 監(감)
8. 金(금) + 監(감)　　　9. ②
10. 볼 監(감) + 쇠 金(금)
11. 볼 監(감) + 볼 見(견)
12. 볼 監(감) + 물 氵(수)
13. 볼 監(감) + 풀 ++(초)

1. ②　　　　　　　　2. ③
3. ④　　　　　　　　4. ①
5. ④　　　　　　　　6. ②
7. ①

---

1. 입 口(구)*3　　　　2. 門(문) + 口(구)
3. 口(구) + 鳥(조)
4. 노래 哥(가) + 하품 欠(흠)
5. 口(구) + 미칠 及(급)
6. 口(구) + 아닐 未(미)
7. 人 + 口(구)
8. 口(구) + 개 犬(견)
9. ③ 나머지는 모두 입과 관련
10. ② 불 吹(취)
11. 문 門(문) + 입 口(구)
12. 노래 哥(가) + 하품 欠(흠)
13. 미칠 及(급) + 입 口(구)
14. 아닐 未(미) + 입 口(구)
15. ③　　　　　　　　16. ②
17. ③　　　　　　　　18. ② 계곡의 골짜기

---

1. ③　　　　　　　　2. ②
3. ①
4. 알릴 告(고) + 물 氵(수)
5. 알릴 告(고) + 해 日(일)
6. ④
7. ③ 殘酷(잔혹)/酷毒(혹독)
8. 갈 辶(착) + 알릴 告(고)
9. 술병 酉(유) + 알릴 告(고)

---

1. 구슬 玉(옥) + 옛 古(고) + 육달 月(월)
2. 계집 女(여) + 옛 古(고)
3. 물 氵(수) + 턱밑살 胡(호)
4. 나무 木(목) + 옛 古(고)
5. 열 十(십) + 입 口(구)

6. 풀 ++(초) + 옛 古(고)

7. 옛 古(고) + 칠 攵(복)

8. 에울 口(위) + 옛 古(고)

9. ①

10. ③

11. 옛 古(고) + 에울 口(위)

12. 옛 古(고) + 계집 女(여)

13. 옛 古(고) + 나무 木(목)

14. 옛 古(고) + 풀 ++(초)

15. 옛 古(고) + 육달 月(월)

16. 턱밑살 胡(호) + 물 氵(수)

17. 턱밑살 胡(호) + 구슬 玉(옥)

18. ①

---

1. 立(립) + 冂(경) + 古(고)

2. 立(립) + 巾(건)

3. 女(여) + 商(적)

4. 商(적) + 칠 攵(복)

5. 갈 辶(착) + 밑둥 商(적)

6. 扌(수) + 商(적)

7. ①

8. ②

9. 밑둥 商(적) + 칠 攵(복)

10. 밑둥 商(적) + 물 氵(수)

11. 밑둥 商(적) + 손 扌(수)

12. 밑둥 商(적) + 갈 辶(착)

13. 밑둥 商(적) + 계집 女(여)

14. ②

---

1. 車(거) + 口(구) + 耳(이)

2. 口(구) + 耳(이)   3. 口(구) + 凵

4. 糸(사) + 凵   5. 人(인) + 口(구)

6. 口(구) + 人(인)   7. ②

8. ①   9. ④

10. ①

---

1. 口(구) + 冊(책) + 司(사)

2. 食(식) + 司(사)   3. 衤(시) + 司(사)

4. 口(구) + 人(인)   5. ①

6. ③   7. 司(사) + 言(언)

8. 司(사) + 衤(시)   9. 司(사) + 食(식)

---

1. 뫼 山(산) + 大(대) + 可(가)

2. 大(대) + 可(가)

3. 집 宀(면) + 기이할 奇(기)

4. 말 馬(마) + 기이할 奇(기)

---

5. 可(가) + 可(가) + 하품 欠(흠)

6. 풀 ++(초) + 可(가)   7. 口(구) + 丁(정)

8. 亻(인) + 可(가)   9. 氵(수) + 可(가)

10. 풀 ++(초) + 어찌 何(하)

11. 口(구) + 可(가)   12. ③

13. 可(가) + 口(구)   14. 可(가) + 亻(인)

15. 可(가) + 氵(수)   16. 奇(기) + 山(산)

17. 奇(기) + 馬(마)   18. ③

---

1. 糸(사) + 刀(도) + 口(구)

2. 昭(소) + 불 灬(화) 발

3. 扌(수) + 부를 김(소)

4. 刀(도) + 口(구)

5. 달릴 走(주) + 부를 김(소)

6. 氵(수) + 김(소)

7. 日(일) + 김(소)

8. ① 비출 照(조) - 照明(조명)

9. 부를 김(소) + 물 氵(수)

10. 부를 김(소) + 해 日(일)

11. 부를 김(소) + 실 糸(사)

12. 부를 김(소) + 손 扌(수)

13. 부를 김(소) + 달릴 走(주)

14. ④

15. ③   16. ①

---

1. ++(초) + 氵(수) + 各(각)

2. 木(목) + 各(각)   3. 糸(사) + 各(각)

4. 田(전) + 各(각)   5. ② 집 宀(면)

6. 각각 各(각) + 나무 木(목)

7. 각각 各(각) + 마음 忄(심)

8. 각각 各(각) + 밭 田(전)

9. 각각 各(각) + 실 糸(사)

10. 각각 各(각) + 불 火(화)

11. 각각 各(각) + 집 宀(면)

12. 각각 各(각) + 문 門(문)

---

1. 土(토) + ++(초) + 合(합)

2. 扌(수) + ++(초) + 合(합)

3. 삼합 스(집) + 口(구)

4. 扌(수) + 合(합)

5. 스(집) + ㄱ + 口(구) 6. 糸(사) + 合(합)

7. 合(합) + 糸(사)   8. 合(합) + 扌(수)

9. ②

10. ④ 열 拾(십)/주을 拾(습)

11. ④

---

1. 宀(집) + ㄱ + 貝(패)　　　2. 口(구) + 今(금)
3. 今(금) + 口(구)　　　　　　4. 宀(집) + ㄱ
5. 今(금) + 口(구)　　　　　　6. 今(금) + 口(구)
7. 今(금) + 구슬 玉(옥)　　　 8. 今(금) + 貝(패)
9. ②　　　　　　　　　　　　　10. ④
11. ①　　　　　　　　　　　　12. ②

◆

1. 同(동) + 氵(수)　　　　　　2. 同(동) + 金(금)
3. ④ 대롱 筒(통)/골 洞(동)/꿰뚫을 洞(통)
4. ④

1. 宀(집) + 罒 + 曰　　　　　2. 聿(율) + 曰(왈)
3. 八(팔) + 罒 + 曰(왈)　　　4. 木(목) + 마을 曹(조)
5. 一(일) + 曰(왈) + 丈(장)
6. 曲(곡) + 豆(두)　　　　　　7. 夫(부) + 曰(왈)
8. 제부수　　　　　　　　　　9. ④
10. ①　　　　　　　　　　　　11. ③
12. ④ 다시 更(갱)/고칠 更(경) 更新(갱신)/變更(변경)

◆

1. 口(구) + 日(일) + 曰　　　2. 日(일) + 日(일)
3. 女(여) + 昌(창)　　　　　　4. 曰 + 目
5. 曰 + 耳(이) + 又(우)　　　 6. 巾(건) + 冒(모)
7. ③
8. 창성할 昌(창) + 口(구)
9. 창성할 昌(창) + 女(여)
10. 무릅쓸 冒(모) + 巾(건)
11. ③　　　　　　　　　　　　12. ①

1. 亻(인) + 言(언)　　　　　　2. 言(언) + 舌(설)
3. 言(언) + 빛날 兌(태)　　　 4. 言(언) + 川(천)
5. 言(언) + 炎(염)　　　　　　6. 言(언) + 侖(륜)
7. 言(언) + 儿(인)　　　　　　8. 言(언) + 나 吾(오)
9. 犭(견) + 言(언) + 犬(견)
10. 言(언) + 永(영)
11. ④　　　　　　　　　　　　12. ②
13. ①　　　　　　　　　　　　14. ②
15. ① ② ③　　　　　　　　　16. ③
17. 길 永(영) + 言(언)　　　 18. 나 吾(오) + 言(언)

◆

1. 糸(사) + 言(언) + 칠 攵(복)
2. 言(언) + 果(과)　　　　　　3. 言(언) + 己(기)

4. 言(언) + 十(십)　　　　　　5. 言(언) + 午(오)
6. ④　　　　　　　　　　　　 7. 己(기) + 言(언)
8. 果(과) + 言(언)

◆

1. 糸(사) + 言(언) + 칠 攵(복)
2. 戀(연)의 윗부분 + 마음 心(심)
3. 戀(연)의 윗부분 + 弓(궁)
4. 戀(연)의 윗부분 + 벌레 虫(충)
5. 氵(수) + 굽을 彎(만)
6. ③
7. ②
8. 戀(연)의 윗부분 + 칠 攵(복)
9. 戀(연)의 윗부분 + 마음 心(심)
10. 戀(연)의 윗부분 + 벌레 虫(충)
11. 戀(연)의 윗부분 + 활 弓(궁)

1. 言(언) + 舌(설)　　　　　　2. 舌(설) + 刂(도)
3. 氵(수) + 舌(설)　　　　　　4. 扌(수) + 舌(설)
5. 千(천) + 口(구)　　　　　　6. 舌(설) + 氵(수)
7. 舌(설) + 扌(수)　　　　　　8. 舌(설) + 刂(도)
9. ③　　　　　　　　　　　　10. ①
11. ④　　　　　　　　　　　　12. ①
13. ③　　　　　　　　　　　　14. ①

1. 口(구) + 欠(흠)　　　　　　2. 火(화) + 欠(흠)
3. 二(이) + 欠(흠)　　　　　　4. 堇(근) + 欠(흠)
5. 藿(관) + 欠(흠)
6. 士(사) + 示(시) + 欠(흠)
7. 노래 哥(가) + 欠(흠)　　　8. 欠(흠) + 食(식)
9. 欠(흠) + 金(금)　　　　　　10. 藿(관) + 欠(흠)
11. ④　　　　　　　　　　　　12. ③
13. ③　　　　　　　　　　　　14. ④
15. ① 기뻐할 歡(환)/탄식할 嘆(탄)/읊을 歎(탄)

◆

1. 二(이) + 欠(흠) + 心(심)
2. 次(차) + 女(여)　　　　　　3. 次(차) + 貝(패)
4. 二(이) + 欠(흠)　　　　　　5. 次(차) + 皿(명)
6. 次(차) + 女(여)　　　　　　7. 次(차) + 心(심)
8. 次(차) + 貝(패)　　　　　　9. ④
10. ②　　　　　　　　　　　　11. ③
13. ④

6. 儿(인) + 需(수)　　　7. ②
8. 시초 耑(단) + 설 立(립)
9. 구할 需(수) + 사람 亻(인)
10. ②

1. 言(언) + 身(신) + 寸(촌)
2. 굴 穴(혈) + 몸 躬(궁)
3. 身(신) + 寸(촌)　　　4. 身(신) + 弓(궁)
5. 身(신) + 區(구)　　　6. ① 쏠/궁술 射(사)
7. ④ 다할/마칠 窮(궁)　　　8. ①
9. 쏠/궁술 射(사) + 말씀 言(언)
10. 활 弓(궁) + 몸 身(신)
11. 지경 區(구) + 몸 身(신)

1. ④ 왕비 妃(비)
2. 몸/자기 己(기) + 말씀 言(언)
3. 몸/자기 己(기) + 실 糸(사)
4. 몸/자기 己(기) + 달릴 走(주)
5. 몸/자기 己(기) + 마음 心(심)
6. 몸/자기 己(기) + 칠 攵(복)
7. 몸/자기 己(기) + 계집 女(여)
8. ③　　　　　9. ④
10. ②　　　　　11. ③

1. 개/도끼 戌(술) + 口(구) + 心(심)
2. 忄(심) + 靑(청)
3. 共(공) + 小(심)
4. 田(정수리囟(신)의 변형) + 心(심)
5. 없을/저물 莫(막/모) + 마음 小(심)
6. 忄(심) + 生(생)
7. 音(음) + 心(심)
8. 忄(심) + 丶(주)
9. 다 咸(함) + 마음 心(심)
10. 마음 忄(심) + 날 生(생)
11. 마음 忄(심) + 푸를 靑(청)
12. 함께 共(공) + 마음 小(심)
13. ①
14. 정수리 囟(신) 즉 머리를 상징하는 글자였음
15. ④

16. ③

1. 爪(조) + 冖(멱) + 心(심) + 夊(치)
2. 아닐 非(비) + 마음 心(심)
3. 종 奴(노) + 마음 心(심)
4. 마음 忄(심) + 터질/터놓을 夬(쾌)
5. 마음 忄(심) + 일찍 曾(증)
6. 마음 忄(심) + 클 賁(분)
7. 마음 忄(심) + 점점 俞(유)
8. 마음 忄(심) + 간여할 參(참)
9. 정답 없음 모두 다 마음상태와 관련
10. ①
11. ① 참혹할 慘(참)
12. 일찍 曾(증) + 마음 忄(심)
13. 클 賁(분) + 마음 忄(심)
14. 종 奴(노) + 마음 忄(심)
15. 점점 俞(유) + 마음 忄(심)
16. 터질/터놓을 夬(쾌) + 마음 忄(심)
17. 아닐 非(비) + 마음 忄(심)
18. 간여할 參(참) + 마음 忄(심)
19. ① 나머지는 同義語(동의어)
20. ④ 나머지는 다 마음 心(심)임

1. 집 宀(면) + 必(필) + 虫(충)
2. 禾(화) + 반드시 必(필)
3. 氵(수) + 必(필)
4. 宀(면) + 必(필) + 山(산)
5. 氵(수) + 하늘 天(천) + 마음 小(심)
6. 하늘 天(천) + 마음 小(심)
7. 마음 心(심) + 삐침 丿(별)
8. ④
9. 반드시 必(필) + 물 氵(수)
10. 반드시 必(필) + 벼 禾(화)–보일 示(시)의 변형
11. 더럽힐 忝(첨) + 물 氵(수)
12. ③ 나머지는 다 더하다
13. ② 꿀은 달다

1. 보일 示(시) + 曲(곡) + 豆(두)
2. 骨(골) + 풍성할 豊(풍)
3. 曲(곡) + 豆(두)　　　4. 咼(괘) + 육달 月(월)
5. ③　　　　　6. ④
7. ③

1. 扌(수) + 口(구) + 力(력)

2. 咼(괘) + 辶(착)

3. 示(시) + 咼(괘)

4. 氵(수) + 咼(괘)

5. 입 비뚤어질 咼(괘/와) + 칼 刂(도)

6. 입 비뚤어질 咼(괘/와) + 갈 辶(착)

7. 입 비뚤어질 咼(괘/와) + 보일 示(시)

8. 입 비뚤어질 咼(괘/와) + 물 氵(수)

9. ①

---

1. 骨(골) + 辶(착) + 隋(수)의 오른편

2. 犭(견) + 骨(골)

3. 氵(수) + 骨(골)

4. 骨(골) + 亥(해)

5. 뼈 骨(골) + 물 氵(수)

6. 뼈 骨(골) + 개 犭(견)

7. 뼈 骨(골) + 돼지 亥(해)

8. ② 駭(해) – 놀랄 해

9. ④ 肯定(긍정)

---

1. 口(구) + 小(소) + 月(월)

2. 肖(초) + 刂(도)   3. 氵(수) + 肖(초)

4. 小(소) + 月(월)   5. 木(목) + 肖(초)

6. 辶(착) + 肖(초)

7. 닮을 肖(초) + 입 口(구)

8. 닮을 肖(초) + 물 氵(수)

9. 닮을 肖(초) + 갈 辶(착)

10. 닮을 肖(초) + 나무 木(목)

11. 닮을 肖(초) + 달릴 走(주)

12. 닮을 肖(초) + 돌 石(석)

13. ③   14. ①

15. ①

---

1. 歺(알) + 刂(도) + 灬(화)

2. 亻(인) + 列(열)   3. 歺(알) + 刂(도)

4. 歺(알) + 匕(비)   5. ③

6. ④   7. ② 세찰/매울 烈(열)

8. ④

---

1. ++(초) + 死(사) + 廾(공)

2. 歺(알) + 回(회) + 又(우)

3. 歺(알) + 旬(순)

4. 歺(알) + 央(앙)

5. 歺(알) + 丿(별) + 未(미)

6. 歺(알) + 쌓일/해칠 戋(잔/전)

---

7. 歺(알) + 台(태)

8. 歺(알) + 直(직)

9. ②

10. ③ 잔 盞(잔)

11. ③ 危殆(위태)할 殆(태)

12. ② 災殃(재앙) 災(재)

13. 가운데 央(앙) + 부서진 뼈 歺(알)

14. 별/나/태아 台(태) + 부서진 뼈 歺(알)

15. 열흘 旬(순) + 부서진 뼈 歺(알)

16. 붉을 朱(주) + 부서진 뼈 歺(알)

17. 곧을 直(직) + 부서진 뼈 歺(알)

18. 쌓일/해칠 戋(잔/전) + 부서진 뼈 歺(알)

---

1. 줄 與(여) + 손 手(수)

2. 윗부분 + 손 手(수)

3. 손 手(수) + 丰(봉)의 변형

4. 손 手(수) + 目(목)

5. 卩(절) + 又(우) + 手(수)

6. 삼 麻(마) + 손 手(수)

7. 종 奴(노) + 손 手(수)

8. 오히려 尙(상) + 손 手(수)

9. 車(거) + 山(산) + 殳(수) + 手(수)

10. ②

11. ①

12. 오히려 尙(상) + 손 手(수)

13. 종 奴(노) + 손 手(수)

14. 삼 麻(마) + 손 手(수)

15. 부딪힐 穀(격) + 손 手(수)

---

1. 손 扌(수) + 品(품) + 木(목)

2. 손 扌(수) + 창 殳(수)

3. 손 扌(수) + 절 寺(사)

4. 손 扌(수) + 아닐 非(비)

5. 1번과 동일

6. 4번과 동일

7. 손 扌(수) + 맛있을 旨(지)

8. 손 扌(수) + 엿볼 睪(역)

9. 손 扌(수) + 쌀 勹(포) + 태아 巳(사)

10. 손 扌(수) + 부를 召(소)

11. 손 扌(수) + 큰뱀 巴(파)

12. 손 扌(수) + 흰 白(백)

13. ④ 나머지는 다 '치다'와 관련

14. ④ 나머지는 다 '잡다/안다'와 관련

15. ③ 잡을 把(파)

16. 큰 뱀 巴(파) + 손 扌(수)
17. 가를 支(지) + 손 扌(수)
18. 안을 包(포) + 손 扌(수)
19. 흰 白(백) + 손 扌(수)
20. 부를 召(소) + 손 扌(수)
21. 면할 免(면) + 손 扌(수)
22. 아닐 非(비) + 손 扌(수)
23. 맛있을 旨(지) + 손 扌(수)
24. 절 寺(사) + 손 扌(수)
25. 엿볼 睪(역) + 손 扌(수)
26. 글자의 우편 + 손 扌(수)

1. 半(반) + 厂(엄) + 又(우)
2. 木(목) + 되돌릴 反(반)
3. 辶(착) + 되돌릴 反(반)
4. 조각 片(편) + 反(반)
5. 貝(패) + 反(반)
6. 食(식) + 反(반)
7. 阝(부) + 反(반)
8. 厂(엄) + 又(우)
9. ②
10. ②
11. 되돌릴 反(반) + 언덕 阝(부)
12. 되돌릴 反(반) + 조개 貝(패)
13. 되돌릴 反(반) + 조각 片(편)
14. 되돌릴 反(반) + 나무 木(목)
15. 되돌릴 反(반) + 갈 辶(착)
16. 되돌릴 反(반) + 나눌/반 半(반)
17. 되돌릴 反(반) + 밥 食(식)

1. 示(시) + 右(우)의 우편 + 口(구)
2. 右(우)의 좌편 + 오른손 又(우)
3. 右(우)의 좌편 + 口(구)
4. 亻(인) + 右(우)
5. 亻(인) + 左(좌)
6. 右(우)의 좌편 + 工(공)
7. ②
8. ①
9. ③ 나머지는 다 '돕다'의 의미를 가짐
10. 右(우) + 亻(인)
11. 右(우) + 보일 示(시)
12. 左(좌) + 亻(인)

1. 人(인) + 彐(계) + 心(심)

2. 糸(사) + 及(급)   3. 人(인) + 又(우)
4. 口(구) + 及(급)   5. 扌(수) + 及(급)
6. ②   7. ③
8. ①   9. ③
10. 미칠 及(급) + 마음 心(심)
11. 미칠 及(급) + 실 糸(사)
12. 미칠 及(급) + 손 手(수)
13. 미칠 及(급) + 입 口(구)

1. 馬(마) + 叉(차) + 虫(충)
2. 扌(수) + 벼룩 蚤(조)
3. 叉(차) + 虫(충)
4. 又(우) + 丶(주)
5. ③   6. ①
7. 벼룩 蚤(조) + 손 扌(수)
8. 벼룩 蚤(조) + 말 馬(마)

1. 氵(수) + 아재비 叔(숙)의 왼편 + 又(우)
2. 아재비 叔(숙) + 目(목)
3. 叔(숙)의 왼편 + 又(우)
4. 宀(면) + 叔(숙)
5. ②   6. ④
7. ②   8. ①
9. 아재비 叔(숙) + 풀 艹(초)
10. 아재비 叔(숙) + 물 氵(수)
11. 아재비 叔(숙) + 눈 目(목)
12. 아재비 叔(숙) + 집 宀(면)
13. 아재비 叔(숙) + 도끼 戊(무)

1. 종 奴(노) + 힘 力(력)
2. 종 奴(노) + 마음 心(심)
3. 종 奴(노) + 손 手(수)
4. ② 붙잡을 拏(나)
5. ③ 곧을 正(정)은 발 止(지) + 一(일)

1. 늙은이 叟(수) + 병들 疒(역)
2. 늙은이 叟(수) + 손 扌(수)
3. 늙은이 叟(수) + 계집 女(여)
4. ② 꽂을 揷(삽)
5. ① 파리할 瘦(수)
6. ③

1. 尹(윤) + 口(구) + 阝(부)
2. 君(군) + 羊(양)   3. 尹(윤) + 口(구)

4. ノ(별) + ㄱ(계)

5. 亻(인) + 一(일) + 史(사)

6. 一(일) + 史(사)　　　7. 口(구) + 乂(예)

8. 亻(인) + 尹(윤)　　　9. 尹(윤) + 口(구)

10. 君(군) + 고을 邑(읍)= 阝(부)

11. 君(군) + 羊(양)　　　12. 一(일) + 史(사)

13. 史(사) + 亻(인)　　　14. ②

15. ① 그을릴 熏(훈)

16. ② 홀로 獨(독) 孤獨(고독)

17. ③ 使役(사역)　　　18. ④ 歷史(역사)

◆━━━━━━━━━━━━━━━━━━━━━◆

1. 宀(면) + 爿(장) + ㄱ(계) + 冖(멱) + 又(우)

2. 扌(수) + 帚(추)

3. 亻(인) + 浸(침)의 우편

4. 女(여) + 帚(추)

5. 氵(수) + 浸(침)의 우편

6. 追(추)의 우편 + 止(지) + 帚(추)

7. ㄱ(계) + 冖(멱) + 巾(건)

8. ③　　　　　　　　　9. ②

10. ②　　　　　　　　　11. ①

12. ④ 없을 无(무)

1. ㄱ(계) + 氺(꼬리 미의 변형) + 辶(착)

2. 士(사) + 示(시) + 隶(이)

3. ㄱ(계) + 氺

4. 집 广(엄) + 잡을 隶(이)

5. 구할 求(구) + 구슬 玉(옥)

6. 구할 求(구) + 칠 攵(복)

7. ③　　　　　　　　　8. ③

9. ③　　　　　　　　　10. ②

11. ④

1. 十(십) + 又(우)　　　2. 木(목) + 支(지)

3. 月(월) + 支(지)　　　4. 女(여) + 支(지)

5. 山(산) + 支(지)　　　6. 扌(수) + 支(지)

7. 十(십) + 豆(두) + 支(지)

8. 支(지) + 木(목)　　　9. 支(지) + 月(월)

10. 支(지) + 女(여)　　　11. 支(지) + 山(산)

12. 支(지) + 扌(수)　　　13. ②

14. ③　　　　　　　　　15. ②

16. ②　　　　　　　　　17. ④ 살찔 肥(비)

1. 爻(효) + 子(자) + 攵(복)

2. 工(공) + 攵(복)　　　3. 牛(우) + 攵(복)

4. 求(구) + 攵(복)　　　5. 婁(루) + 攵(복)

6. 交(교) + 攵(복)　　　7. 余(여) + 攴(복)

8. 正(정) + 攵(복)　　　9. 工(공) + 攵(복)

10. 나 余(여) + 攵(복)　　11. 사귈 交(교) + 攵(복)

12. 구할 求(구) + 攵(복)　13. 바를 正(정) + 攵(복)

14. ④　　　　　　　　　15. ②

16. ③　　　　　　　　　17. ③ 차례 敍(서)

◆━━━━━━━━━━━━━━━━━━━━━◆

1. 亻(인) + 土(토-出(출)의 변형 + 放(방)

2. 方(방) + 攵(복)　　　3. 己(기) + 攵(복)

4. 苟(구) + 攵(복)

5. 人(인) + 母(모) + 攵(복)

6. 商(적) + 攵(복)　　　7. 赤(적) + 攵(복)

8. 모 方(방) + 攵(복)　　9. 몸 己(기) + 攵(복)

10. 밑둥 商(적) + 攵(복)　11. ① 공경할 欽(흠)

12. ④ 용서할 恕(서)

13. ③ 민첩할/재빠를 敏(민)

14. ④ 거만할 傲(오) 사람 亻(인) + 놀 敖(오)

◆━━━━━━━━━━━━━━━━━━━━━◆

1. 甫(보) + 方(방) + 攵(복)

2. 丩 + 攵(복)

3. 昔(日대신 月) + 攵(복)

4. 束(속) + 攵(복) + 正(정)

5. 享(향) + 攵(복)

6. 貝(패) + 攵(복)

7. 卜(복) + 又(우) + 攵(복)

8. 正(정) + 束(속)/攵(복)

9. 貝(패) + 攵(복)

10. ②　　　　　　　　　11. ④

12. ①　　　　　　　　　13. ③

◆━━━━━━━━━━━━━━━━━━━━━◆

1. 네 점(丶) + 巾(건) + 攵(복)

2. 해질 敝(폐) + 巾(건)

3. 해질 敝(폐) + 廾(공-犬(견)의 변형)

4. ++(초) + 해질 敝(폐)

5. 해질 敝(폐) + 수건 巾(건)

6. 해질 敝(폐) + 풀 ++(초)

7. 해질 敝(폐) + 풀 ++(초)

8. ② 덮을 蔽(폐)

9. ③

10. ④ 비단 幣(폐)

◆━━━━━━━━━━━━━━━━━━━━━◆

1. 彳(척) + 長(장)의 변형 + 攵(복)

2. 彳(척) + 山(산) + 一(일) + 王(정) + 攵(복)
3. 徵(징) + 心(심)
4. 彳(척) + 育(육) + 攵(복)
5. 부를 徵(징) + 마음 心(심)
6. 徹(철)의 우측 + 손 扌(수)
7. ③
8. ② 작을 微(미)
9. ① 혼날/혼낼 懲(징)

33강 - 손톱 爪(조) ···························· 242

1. 爪(조) + 冖(멱) + 又(우)
2. 扌(수) + 받을 受(수)
3. 爪(조) + 二(이) + 丿(별) + 又(우)
4. 爪(조) + 彐(계) + 丨(곤)
5. 扌(수) + 爰(원)
6. 女(여) + 爰(원)
7. 糸(사) + 爰(원)
8. 받을 受(수) + 손 扌(수)
9. 끌/이에 爰(원) + 손 扌(수)
10. 爰(원) + 계집 女(여)
11. 爰(원) + 실 糸(사)
12. 爰(원) + 해 日(일)/불 火(화)
13. 할 爲(위) + 사람 亻(인)
14. ②   15. ① 같을 如(여)
16. ③   17. ②
18. ①   19. ③
20. ③

---

1. 爪(조) + 彐(계) + 丨(곤)
2. 氵(수) + 爭(쟁)
3. 靑(청) + 爭(쟁)
4. 다툴 爭(쟁) + 물 氵(수)
5. 다툴 爭(쟁) + 푸를 靑(청)
6. ③
7. ②

---

1. 扌(수) + 爪(조) + 木(목)
2. 采(채) + 彡(삼)   3. ++(초) + 采(채)
4. 爪(조) + 木(목)   5. 采(채) + ++(초)
6. 캘 采(채) + 손 扌(수)
7. 캘 采(채) + 터럭 彡(삼)
8. ③ 젖 乳(유)
9. ①

---

1. 爪(조) + 糸(사) + 大(대)

---

2. 氵(수) + 종/어찌 奚(해)
3. 종/어찌 奚(해) + 새 鳥(조)
4. 禾(화) + 爪(조) + 나아갈 冉(염)
5. 종/어찌 奚(해) + 물 氵(수)
6. 종/어찌 奚(해) + 새 鳥(조)
7. ④
8. ①

---

1. 氵(수) + 爪(조) + 子(자)
2. 爪(조) + 子(자)
3. 爪(조) + 女(여)
4. 미쁠 孚(부) + 왼쪽으로 된 丿(궐)
5. 爪(조) + 卩(절)
6. 알 卵(란) + 孚(부)
7. 미쁠 孚(부) + 물 氵(수)
8. 미쁠 孚(부) + 알 卵(란)
9. ④ 王后(왕후)
10. ③
11. ①

---

1. 氵(수) + 爪(조) + 壬(임)
2. 亂(란)의 왼쪽 + 乳(유)의 오른쪽
3. 亂(란)의 왼쪽 + 辛(신)
4. 禾(화) + 爪(조) + 冉(염)
5. 爪(조) + 矛(모)의 윗부분 + 厶(사) + 又(우) + 冂(경) + 乳(유)의 오른쪽
6. ③

34강 - 양손 국(臼) ···························· 248

1. 臼(국) + 与(여) + 廾(공) + 手(수)
2. 臼(국) + 爻(효) + 冖(멱) + 子(자)
3. 臼(국) + 同(동) + 廾(공)
4. 臼(국) + 与(여) + 廾(공)
5. 臼(국) + 車(거) + 廾(공)
6. ④   7. ②
8. ③   9. ②

---

1. 舁(유) + 貝(패) + 辶(착)
2. 舁(유) + 貝(패)
3. 舁(유) + 追(추)의 오른쪽 + 辶(착)
4. 追(추)의 오른쪽 + 辶(착)
5. ③   6. ②

35강 - 두 손 받들 廾(공) ···························· 250

1. 門(문) + 一(일) + 廾(공)
2. 廾(입) + 廾(공)
3. 王(왕) + 廾(공)
4. 目(목－鼎(정)의 생략형) + 廾(공)
5. 竹(죽) + 木(목) + 廾(공)
6. 斤(근) + 廾(공)
7. 戈(과) + 廾(공)
8. 火(화) + 廾(공) + 辶(착)
9. ③　　　　　　　　　　10. ④
11. ①　　　　　　　　　　12. ③
13. ②
14. ③ 옮길 遷(천)/옮길 移(이)

1. 말씀 言(언) + 창 戈(과) + 두 손 廾(공)
2. 木(목) + 戒(계)
3. 창 戈(과) + 두 손 廾(공)
4. 경계할 戒(계) + 나무 木(목)
5. 경계할 戒(계) + 말씀 言(언)
6. ③

1. 口(구) + 卉(훼) + 貝(패)
2. 卉(훼) + 貝(패)
3. 土(토) + 賁(분)
4. 忄(심) + 賁(분)
5. 클 賁(분) + 입 口(구)
6. 클 賁(분) + 마음 忄(심)
7. 클 賁(분) + 흙 土(토)
8. ③　　　　　　　　　9. ③
10. ②　　　　　　　　　11. ②

1. 廾(입) + 廾(공) + 小(심)
2. 亻(인) + 共(공)　　　3. 氵(수) + 共(공)
4. 廾(입) + 廾(공)　　　5. 共(공) + 亻(인)
6. 共(공) + 小(심)　　　7. 氵(수) + 共(공)
8. ②　　　　　　　　　9. ①
10. ④　　　　　　　　　11. ③

～36강 – 마디/손 寸(촌) ······························· 254～

1. 犭(견) + 宀(면) + 寸(촌)
2. 宀(면) + 寸(촌)
3. 亻(인) + 寸(촌)
4. 木(목) + 寸(촌)
5. 身(신) + 寸(촌)
6. 丶(주) + 一(일) + 亅(궐)
7. 마디 寸(촌) + 나무 木(목)

8. 지킬 守(수) + 개 犭(견)
9. ②　　　　　　　　　10. ③
11. ①

1. 广(엄) + 付(부) + 肉(육)
2. 阝(부) + 付(부)
3. 广(엄) + 付(부)
4. 亻(인) + 寸(촌)
5. 줄 付(부) + 언덕 阝(부)
6. 줄 付(부) + 대 竹(죽)
7. 줄 付(부) + 집 广(엄)
8. 곳집 府(부) + 고기 肉(육)
9. ③
10. ④
11. ④ 관청/마을/곳집 府(부)

1. 車(거) + 惠(혜)의 윗부분 + 寸(촌)
2. 亻(인) + 專(전)
3. 은혜 惠(혜)의 윗부분 + 寸(촌)
4. 클 甫(보) + 마디 寸(촌)
5. 오로지 專(전) + 사람 亻(인)
6. 오로지 專(전) + 수레 車(거)
7. ① 넓을 博(박)
8. ②

1. 言(언) + 土(토－발 止(지)의 변형) + 寸(촌)
2. 亻(인) + 寺(사)　　　3. 彳(척) + 寺(사)
4. 疒(역) + 寺(사)　　　5. 牛(우) + 寺(사)
6. 竹(죽) + 寺(사)
7. 扌(수) + 寺(사)
8. 日(일) + 寺(사)
9. 土(토－발 止(지)의 변형) + 寸(촌)
19. ② 손가락 指(지)/나머지는 다 시로 발음
20. ② 特別(특별)/수컷 特(특)
21. ③ 詩集(시집)
22. ① 平凡(평범)/特別(특별)
1. 절 寺(사) + 사람 亻(인)
2. 절 寺(사) + 해 日(일)
3. 절 寺(사) + 말씀 言(언)
4. 절 寺(사) + 손 扌(수)

～37강 – 힘 力(력) ······························· 258～

1. 길 甬(용) + 힘 力(력)
2. 田(전) + 力(력)
3. 氵(수) + 날쌜 勇(용)

4. 足(족) + 勇(용)
5. ③
6. ③ 卑怯(비겁)
7. ③ 발 趾(지)

◆━━━━━━━━━━━━━━━━━━━━◆

1. 火(화) + 冖(멱) + 力(력)
2. 奴(노) + 力(력)
3. 少(소) + 力(력)
4. 重(중) + 力(력)
5. 火(화) + 冖(멱) + 虫(충)
6. 免(면) +力(력)
7. 종 奴(노) + 힘 力(력)
8. 무거울 重(중) + 힘 力(력)
9. 노란 진흙 堇(근) + 힘 力(력)
10. 면할 免(면) + 힘 力(력)
11. ① 붙잡을 拏(나)
12. ① 動作(동작)禁止(금지)
13. ③ 勤務(근무)怠慢(태만)
14. ① 나머지는 다 반의어

◆━━━━━━━━━━━━━━━━━━━━◆

1. 力(력) + 口(구) + 木(목)
2. 力(력) +口(구)
3. 加(가) + 貝(패)
4. 且(차) + 力(력)
5. 더할 加(가) + 木(목)
6. 더할 加(가) + 조개 貝(패)
7. ③ 祝賀(축하)
8. ① 加減(가감)/加速(가속)/減速(감속)
9. ②
10. ④ 扶養(부양)/援助(원조)

◆━━━━━━━━━━━━━━━━━━━━◆

1. 竹(죽) + 月(월) + 力(력)
2. 月(월) + 力(력)
3. 劦(협) + 月(월)
4. 十(십) +劦(협)
5. 힘합할 劦(협) + 열 十(십)
6. 힘합할 劦(협) + 肉(육)달 月(월)
7. ④ 吸煙(흡연)
8. ①
9. ① 肋骨(늑골)
10. ③ 勝敗(승패)
11. ③ 勸勉(권면)/奬勵(장려)

┌──────────────────────────┐
│ 38강 – 쌀 勹(포) ·············· 262 │
└──────────────────────────┘

1. 扌(수) + 勹(포) + 태아 巳(사)

2. 口(구) + 包(포)
3. 月(월) + 包(포)
4. 勹(포) + 태아 巳(사)
5. 쌀 勹(포) + 태아 巳(사)
6. 쌀 包(포) + 肉(육)달 月(월)
7. 쌀 包(포) + 손 扌(수)
8. 쌀 包(포) + 돌 石(석)
9. 쌀 包(포) + 물 氵(수)
10. 쌀 包(포) + 입 口(구)
11. 쌀 勹(포) + 클 甫(보)
12. 풀 艹(초) + 길 匍(포)
13. ① 적을 勻(균)
14. ① 飽食(포식)/飢餓(기아)
15. ③ 補充(보충)
16. ② 砲彈(포탄)
17. ① 葡萄(포도)

◆━━━━━━━━━━━━━━━━━━━━◆

1. 질그릇 匋(도) + 풀 艹(초) – 葡萄(포도)
2. 질그릇 匋(도) + 언덕 阝(부) – 陶瓷器(도자기)
3. 질그릇 匋(도) + 물 氵(수) – 自然淘汰(자연도태)
4. ③ 缺格事由(결격사유)/缺席(결석)/缺乏(결핍)

◆━━━━━━━━━━━━━━━━━━━━◆

1. 艹(초) + 句(구) + 攵(복)
2. 敬(경) + 言(언)
3. 敬(경) + 馬(마)
4. 艹(초/쌍 상투 卝(관) + 句(구)
5. 扌(수) + 句(구)
6. 犭(견) + 句(구)
7. 勹(포) + 口(구)
8. 글귀 句(구) + 艹풀 초/쌍 상투 卝(관)
9. 글귀 句(구) + 손 扌(수)
10. 글귀 句(구) + 개 犭(견)
11. 공경할 敬(경) + 말씀 言(언)
12. 공경할 敬(경) + 말 馬(마)
13. ④ 中旬(중순)/初旬(초순)
14. ③ 拘束(구속)/解放(해방)
15. ② 兎死狗烹(토사구팽)
16. ① 警戒(경계)/誡命(계명)/十誡命(십계명)
17. ② 影響(향)/陰影(음)/撮影(촬) 그림자 影(영)

◆━━━━━━━━━━━━━━━━━━━━◆

1. 勹(포/사람 人(인)의 변형) + 人(인) +ㄴ
2. 日(왈) + 빌 匃(개)
3. 言(언) + 어찌 曷(갈)
4. 어찌 曷(갈) + 欠(흠)
5. 艹(초) + 어찌 曷(갈)
6. 扌(수) + 어찌 曷(갈)

7.　氵(수) + 어찌 曷(갈)

8.　口(구) + 어찌 曷(갈)

9.　勹(포) + 凶(흉)의 안쪽 + 凵(감)

10.　凶(흉)의 안쪽 + 凵(감)

11.　어찌 曷(갈) + 말씀 言(언)

12.　어찌 曷(갈) + 입 口(구)

13.　어찌 曷(갈) + 물 氵(수)

14.　어찌 曷(갈) + 풀 ++(초)

15.　어찌 曷(갈) + 하품 欠(흠)

16.　흉할 凶(흉) + 勹(쌀 포/사람 人(인)의 변형)

17.　③ 揭示板(게시판)/解渴(해갈)/恐喝(공갈)

18.　① 꾸짖을 喝(갈)

19.　④ 渴水期(갈수기)

20.　① 어찌 曷(갈)/나머지는 다 '흉'

1.　++(초) + 勹(포) + 米(미)

2.　勹(포) + 米(미)

3.　酉(유) + 구기 勺(작)

4.　糸(사) + 구기 勺(작)

5.　++(초) + 구기 勺(작)

6.　勹(포) + 一(일)

7.　++(초) + 움켜 뜰 匊(국)

8.　火(화) + 구기 勺(작)

9.　구기 勺(작) + 불 火(화)

10.　구기 勺(작) + 술병 酉(유)

11.　구기 勺(작) + 풀 ++(초)

12.　구기 勺(작) + 흰 白(백)

13.　구기 勺(작) + 실 糸(사)

14.　움켜 뜰 匊(국) + 풀 ++(초)

15.　② 灼熱(작열)/對酌(대작)/구기 勺(작)/約束(약속)

16.　①

17.　④

18.　③ 菊花(국화)

1.　忄(심) + 勿(물) + 心(심)

2.　牛(우) + 勿(물)

3.　勿(물) + 心(심)

4.　勹(포) + 丿(별)

5.　阝(부) + 旦(단) + 勿(물)

6.　旦(단) + 勿(물)

7.　日(일) + 勿(물)

8.　말 勿(물) + 소 牛(우)

9.　말 勿(물) + 마음 心(심)

10.　소홀히 할 忽(홀) + 마음 忄(심)

11.　볕 昜(양) + 언덕 阝(부)

12.　② 疎忽(소홀)/恭敬(공경)

13.　②

14.　③

15.　③

16.　③ 貿易(무역)/難易度(난이도)/易地思之(역지사지)

17.　④ 恍惚(황홀)

39강 – 발 관련 문제 ······················· 269

40강 – 발 足(족) ······················· 270

1.　足(족) + 羽(우) + 隹(추)

2.　足(족) + 京(경) + 尤(우)

3.　足(족) + 兆(조)

4.　足(족) + 亦(역)

5.　足(족) + 水(수) + 日(일)

6.　足(족) + 責(책)

7.　足(족) + 쌓일/해칠 戔(전/잔)

8.　足(족) + 各(각)

9.　亻(인) + 足(족)

10.　足(족) + 길/바구니 甬(용)

11.　유창할 沓(답) + 발 足(족)

12.　쌓일/해칠 戔(전/잔) + 발 足(족)

13.　또 亦(역) + 발 足(족)

14.　꾸짖을 責(책) + 발 足(족)

15.　조짐 兆(조) + 발 足(족)

16.　꿩 翟(적) + 발 足(족)

17.　길/바구니 甬(용) + 발 足(족)

18.　클 巨(거) + 발 足(족)

19.　발 足(족) + 亻(인) 빨리 가도록 재촉

20.　③

21.　② 踏査(답사)/實踐(실천)

22.　① 길 道(도)/길 途(도)/길 路(로)/땅 地(지)

1.　方(방) + 人(인) + 疋(필)

2.　大(대) + 止(지)

3.　疋(필/소) + 流(류)의 우측

4.　日(일) + 正(정)의 변형

5.　①　　　　　　　　　　　　6.　③

7.　①　　　　　　　　　　　　8.　②

1.　止(지) + 戊(무) + 疋(필)의 변형

2.　宀(면) + 疋(필)

3.　一(일) + 止(지)

4.　人(인) + 止(지)

5.　厂(엄) + 禾(화) + 止(지)

14　＊ 해설 및 정답

6. 止(지) + 止(지)

7. 止(지) + 匕(비)

8. 歸(귀)의 왼편 + 비 帚(추)

9. 正(정) + 宀(면)

10. 다스릴 厤(력) + 止(지)

11. ①   12. ①

13. ③   14. ③

---

1. 阝(부) + 어그러질 舛(천)을 나눠서 위아래로

2. 阝(부) + 步(보)   3. 氵(수) + 步(보)

4. 止(지) + 止(지)   5. ② 내릴 降(강)

6. ③

---

1. 束(속) + 攵(복) + 正(정)

2. 正(정) + 攵(복)   3. 彳(척) + 正(정)

4. 一(일) + 止(지)   5. 不(부) + 正(정)

6. 戈(과) + 止(지)

7. 正(정) + 彳(척)/正(정)

8. 正(정) + 攵(복)/正(정)

9. 正(정) + 束(속)/攵(복)

10. 正(정) + 疒(녁)   11. ③ 症狀(증상)

12. ①   13. ①

1. 大(대) + 止(지)   2. 彳(척) + 走(주)

3. 走(주) + 己(기)   4. 走(주) + 김(소)

5. 走(주) + 戉(월)   6. 走(주) + 取(취)

7. 走(주) + 卜(복)   8. 走(주) + 肖(초)

9. 몸 己(기) + 달릴 走(주)

10. 도끼 戉(월) + 달릴 走(주)

11. 부를 김(소) + 달릴 走(주)

12. 취할 取(취) + 달릴 走(주)

1. 癶(발) + 弓(궁) + 殳(수)

2. 广(엄) + 發(발)

3. 癶(발) + 豆(두)

4. 言(언) + 登(등)

5. 오를 登(등) + 불 火(화)

6. 오를 登(등) + 阝(부)

7. 오를 登(등) + 言(언)

8. 오를 登(등) + 氵(수) 맑을 澄(징)

9. ② 證人(증인) 증거 證(증)

---

10. ③

11. ③ 오를 登(등)/登山(등산)/昇進(승진)

12. ② 폐할 廢(폐)/荒廢(황폐)/廢校(폐교)

13. ① 發射(발사)

1. 亻(인) + 舛(천) + 木(목)

2. 舛(천) + 木(목)

3. 無(무) + 舛(천)

4. 阝(부)/阜(부) + 舛(천)/위아래로

5. ①

6. ④

7. ④ 뛰어날 傑(걸)/豪傑(호걸)/傑作(걸작)

1. 彳(척) + 糸(사) + 夂(치)

2. 夂(치) + 口(구)   3. 夂(치) + 丰(봉)

4. 夂(치) + 冫(빙)   5. ④

6. ③   7. ④

8. ②

---

1. 彳(척) + 돌아올 复(복)

2. 月(월) + 돌아올 复(복)

3. 1번과 동일

4. 옷 衤(의) + 돌아올 复(복)

5. 돌아올 复(복) + 갈 彳(척)

6. 돌아올 复(복) + 肉(육)달 月(월)

7. 돌아올 復(복) + 덮을 襾(아)

8. 돌아올 復(복) + 주검 尸(시)

9. ④ 麥酒(맥주)/菽麥(숙맥)

10. ④ 나머지는 다 肉(육)달 月(월)

1. 彳(척) + 人(인) + 止(지)

2. 彳(척) + 方(방)

3. 彳(척) + 임금 皇(황)

4. 彳(척) + 非(비)

5. 彳(척) + 糸(사) + 夂(치)

6. 彳(척) + 回(회)

7. 彳(척) + 主(주)

8. 彳(척) + 复(복)

9. 모 方(방) + 길/천천히 걸을 彳(척)

10. 임금 皇(황) + 길/천천히 걸을 彳(척)
11. 아닐 非(비) + 길/천천히 걸을 彳(척)
12. 돌 回(회) + 길/천천히 걸을 彳(척)
13. 돌아올 复(복) + 길/천천히 걸을 彳(척)
14. 방패 盾(순) + 길/천천히 걸을 彳(척)
15. 나 余(여) + 길/천천히 걸을 彳(척)
16. ①
17. ②
18. ② 나머지는 서로 반대되는 뜻

---

1. 지하수 巠(경) + 길/천천히 걸을 彳(척)
2. 붓 聿(율) + 길/천천히 걸을 彳(척)
3. ② 무리 徒(도)/信徒(신도)
4. ④ 亨通(형통)할 亨(형)
5. ③ 拾得(습득) 얻을 得(득)

---

1. 저 皮(피) + 길/천천히 걸을 彳(척)
2. 풀 卸(사) + 길/천천히 걸을 彳(척)
3. ④ 使役(사역)/勞役(노역) 부릴 役(역)
4. ② 작을 微(미) 微微(미미)/微笑(미소)
5. ② 일컬을 稱(칭)/부를 呼(호)/부를 徵(징)
6. ④ 나머지는 다 철 ④ 꺾을 折(절)

1. 重(중) + 行(행)
2. 韋(위) + 行(행)
3. 뿔 角(각) + 큰 大(대) + 갈 行(행)
4. 홀 圭(규) + 行(행)
5. 氵(수) + 行(행)
6. 차조 朮(출) + 行(행)
7. 홀 圭(규) + 갈/사거리 行(행)
8. 다룸가죽 韋(위) + 갈/사거리 行(행)
9. ③
10. ① 防衛(방위)/護衛(호위) 지킬 衛(위)
11. ③ 저울대 衡(형)/均衡(균형)

1. 무소 犀(서) + 갈 辶(착)
2. 옷 길 袁(원) + 갈 辶(착)
3. 斤(근) + 갈 辶(착)
4. 길 甬(용) + 갈 辶(착)
5. 옷 길 袁(원) + 갈 辶(착)
6. 도끼 斤(근) + 갈 辶(착)

7. 묶을 束(속) + 갈 辶(착)
8. 咼(괘) + 갈 辶(착)
9. 길 甬(용) + 갈 辶(착)
10. 군사 軍(군) + 갈 辶(착)
11. 두루 周(주) + 갈 辶(착)
12. 巽(손) + 갈 辶(착)
13. ③
14. ④ 나머지는 다 반의어
15. ②

1. 言(언) + 廴(인) + 正(정)의 변형
2. 廴(인) + 正(정)의 변형
3. 壬(임) + 廴(인)
4. 聿(율) + 廴(인)
5. 壬(임) + 廴(인)
6. 조정 廷(정) + 집 广(엄)
7. 조정 廷(정) + 배 舟(주)
8. 돌 回(회) + 길게 걸을 廴(인)
9. ① 延期(연기)
10. ③
11. ③
12. ①

1. 足(족) + 京(경) + 尤(우)
2. 京(경) + 尤(우)   3. 尤(왕) + 丶(주)
4. 一(일) + 儿(인)   5. 就(취) + 足(족)

---

1. 氵(수) + 宀(멱) + 儿(인)
2. 宀(멱) + 儿(인)   3. 木(목) + 尢(유)
4. 目(목) + 尢(유)   5. ②
6. ①

---

1. 白(백) + 匕(비) + 목맬 旡(기)
2. 木(목) + 이미 旣(기)
3. 氵(수) + 旣(기)
4. 一(일) + 尢(왕)
5. 목맬 旡(기) + 고소할 皀(흡)
6. 이미 旣(기) + 나무 木(목)
7. 이미 旣(기) + 마음 忄(심)
8. 이미 旣(기) + 물 氵(수)
9. ④   10. ③

11. ①

---

1. 宀(면) + 儿(인)　　　2. 尢(왕) + 丶(주)
3. 一(일) + 儿(인)　　　4. 一(일) + 尢(왕)
5. 一(일) + 尢(왕)　　　6. 一(일) + 儿(인)
7. 丿(별) + ㄴ

50강 – 설 立(립) ····························· 293

1. 立(립) + 允(윤) + 夂(치)
2. 立(립) + 시초 耑(단)
3. 氵(수) + 立(립)
4. 言(언) + 儿(인)
5. 아이 童(동) + 마음 忄(심)
6. 설 立(립) + 쌀 米(미)
7. 손 扌(수) + 설 立(립)
8. ④ 울 泣(읍)/꺾을 拉(납)
9. ④　　　　　　　　10. ②
11. ①　　　　　　　　12. ③

---

1. 阝(부) + 音(음) + 十(십)
2. 章(장) + 터럭 彡(삼)
3. 音(음) + 十(십)
4. 音(음) + 儿(인)
5. 다할 竟(경) + 흙 土(토)
6. 다할 竟(경) + 쇠 金(금)
7. 글 章(장) + 언덕 阝(부)
8. 글 章(장) + 터럭 彡(삼)
9. ① 다할 竟(경)/고칠 更(경)/공경할 敬(경)
10. ③
11. ① 방해할 妨(방)

51강 – 들 入(입) ····························· 296

1. 糸(사) + 冂(경) + 入(입)
2. 冂(경) + 入(입)
3. 入(입) + 王(왕)
4. 入(입)을 뺀 兩(량) + 入(입)
5. ③　　　　　　　　6. ①
7. ③

---

1. 스(집) + 月(월) + 巛(천)의 생략형
2. 忄(심) + 俞(유)
3. 俞(유) + 心(심)
4. 車(차) + 俞(유)

---

5. 점점 俞(유) + 마음 心(심)
6. 점점 俞(유) + 마음 忄(심)
7. 나을 愈(유) + 병들어 기댈 疒(역)
8. 점점 俞(유) + 口(구)
9. 점점 俞(유) + 갈 辶(착)
10. 점점 俞(유) + 수레 車(거)
11. ①　　　　　　　　12. ①
13. ②
14. ④ 반의어 /4번만 同義語(동의어)

사 람
사 람

52강 – 사람/신분관련 ····························· 333

1. ②　　　　　　　　2. ④
3. ③

---

1. 스(집) + 口(구) + 儿(인)
2. 木(복) + 다 僉(첨)
3. 다 僉(첨) + 刂(도)
4. 馬(마) + 僉(첨)
5. 다 僉(첨) + 나무 木(목)
6. 다 僉(첨) + 칼 刂(도)
7. 다 僉(첨) + 사람 亻(인)
8. 다 僉(첨) + 말 馬(마)
9. 다 僉(첨) + 언덕 阝(부)
10. 다 僉(첨) + 칠 攵(복)
11. ③　　　　　　　　12. ②
13. ③

53강 – 사람 人(인) ····························· 335

1. 氵(수) + 余(여) + 土(토)
2. 余(여) + 辶(착)
3. 食(식) + 余(여)
4. 人 + (于+八)
5. 나 余(여) + 먹을 食(식)
6. 나 余(여) + 칠 攵(복)
7. 걸을 彳(척) + 나 余(여)
8. 언덕 阝(부) + 나 余(여)
9. 나 余(여) + 말 斗(두)
10. 갈 辶(착) + 나 余(여)

11. 도랑 涂(도) + 흙 土(토)
12. ④ 傾斜(경사)/斜面(사면)/斜視(사시)
13. ① 徐行(서행)/急速(급속)

---

1. 곳집 倉(창) + 칼 刂(도)
2. 곳집 倉(창) + 풀 ++(초)
3. ④ 尙武(상무)/崇尙(숭상)
4. ③ 家屋(가옥)/寄宿舍(기숙사)/邸宅(저택)
5. ① 倉庫(창고)
6. ② 푸른 蒼空(창공)에 높이 던질 때

---

1. 써 以(이) + 亻(인)
2. 介(개) + 田(전)
3. ② 似而非(사이비)/類似品(유사품)
4. ② 紊亂(문란)
5. ③ 地域(지역)/境界(경계)

54강 – 사람 亻(인) ························· 338

1. 亻(인) + 픕(음) + 心(심)
2. 亻(인) + 亭(정)   3. 亻(인) + 匕(비)
4. 亻(인) + 木(목)   5. 亻(인) + (立+口)
6. 亻(인) + 言(언)
7. 宀(면) + 亻(인) + 百(백)
8. 亻(인) + 고칠 更(경)
9. (立+口) + 사람 亻(인)
10. 정자 亭(정) + 사람 亻(인)
11. ③ 背叛(배반)
12. ② 勤務(근무)/休務(휴무)
13. ④ 便紙(편지)/便所(변소)/便利(편리)
14. ①

---

1. 亻(인) + 辶(인) + 聿(율)
2. 亻(인) + 주살 弋(익)
3. 亻(인) + 牛(우)
4. 專(전)의 윗부분 + 마디 寸(촌)
5. 亻(인) + 벼슬아치 吏(리)
6. 亻(인) + 專(전)
7. 亻(인) + 山(산)
8. 亻(인) + 士(사)
9. 선비 士(사) + 亻(인)
10. 세울 建(건) + 亻(인)
11. 아홉째 천간 壬(임) + 亻(인)
12. 오로지 專(전) + 亻(인)
13. ④
14. ③ 價値(가치)

15. ① 健康(건강)/疾病(질병)
16. ② 使役(사역)

55강 – 사람 儿(인) ························· 341

1. 一(일) + 白(자) + 儿(인)
2. 目(목) + 儿(인)   3. 口(구) + 儿(인)
4. 臼(구) + 儿(인)
5. 牛(우-止(지)의 변형) + 儿(인)
6. 火(화) + 儿(인)   7. 厶(사) + 儿(인)
8. 禾(화) + 儿(인)   9. ③ 盲人(맹인)
10. ①   11. ② 兒童(아동)

---

1. 言(언) + 八(팔) + 兄(형)
2. 八(팔) + 兄(형)   3. 口(구) + 儿(인)
4. 月(월) + 兌(태)   5. 忄(심) + 兌(태)
6. 門(문) + 兌(태)   7. 禾(화) + 兌(태)
8. 金(금) + 兌(태)
9. 빛날 兌(태) + 쇠 金(금)
10. 빛날 兌(태) + 벼 禾(화)
11. ③ 脫稅(탈세)/稅金(세금)/悅樂(열락)
12. ③ 微笑(미소)/追悼(추도)/哀惜(애석)/悲嘆(비탄)
13. ① 銳利(예리)/精銳(정예)/銳鋒(예봉)

---

1. 示(시) + 口(구) + 儿(인)
2. 氵(수) + 兄(형)   3. 十(십) + 兄(형)
4. 口(구) + 儿(인)   5. 兄(형) + 氵(수)
6. ④ 狀況(상황)/皇帝(황제)
7. ① 勝利(승리)/克己(극기)

---

1. 宀(면) + 一(일) + 우뚝할 兀(올)
2. 一(일) + 우뚝할 兀(올)
3. 阝(부) + 元(원)
4. 一(일) + 儿(인)
5. 으뜸 元(원) + 집 宀(면)
6. 으뜸 元(원) + 머리 頁(혈)
7. 으뜸 元(원) + 구슬 玉(옥)
8. 으뜸 元(원) + 집 宀(면)/언덕 阝(부)
9. 으뜸 元(원) + 덮을 冖(멱)/마디 寸(촌)
10. ④ 完成(완성)
11. ④ 나머지는 다 '높다'는 뜻을 가짐

---

1. 兆(조) + 目(목)   2. 兆(조) + 木(목)
3. 兆(조) + 足(족)   4. 兆(조) + 辶(착)
5. 兆(조) + 扌(수)   6. ④ 칼날 刃(인)
7. ③ 跳躍(도약)

◆ ━━━━━━━━━━━━━━━━━━━━━━━━━━━━━━ ◆

1. 氵(수) + 充(충)의 윗부분 + 川(천)
2. 充(충)의 윗부분 + 川(천)
3. 厶(사) + 儿(인)
4. 金(금) + 充(충)
5. 充(충)의 윗부분 + 月(월)
6. 糸(사) + 充(충)
7. 찰 充(충) + 쇠 金(금)
8. 찰 充(충) + 실 糸(사)
9. ② 忠臣(충신)/患者(환자)/仲介(중개)/白丁(백정)
10. ② 養育(양육) 기를 養(양)
11. ② 拳銃(권총)
12. ④ 統治(통치)/痛症(통증)

◆ ━━━━━━━━━━━━━━━━━━━━━━━━━━━━━━ ◆

1. 立(립) + 允(윤) + 夂(치)
2. 山(산) + (允+夂)   3. 亻(인) + (允+夂)
4. 口(구) + (允+夂)   5. (允+夂) + 亻(인)
6. (允+夂) + 설 立(립)
7. ④ 示唆(시사)/敎唆(교사)
8. ④ 秀才(수재)/俊傑(준걸)/傑出(걸출)/農夫(농부)
9. ① 峻嶺(준령)/高山(고산)

◆ ━━━━━━━━━━━━━━━━━━━━━━━━━━━━━━ ◆

1. 人(인) + 口(구) + 儿(인)
2. 女(여) + 免(면)
3. 扌(수) + 免(면)
4. 女(여) + 勉(면)
5. 면할 免(면) + 계집 女(여)
6. 면할 免(면) + 힘 力(력)
7. 면할 免(면) + 손 扌(수)
8. 면할 免(면) + 해 日(일)
9. 면할 免(면) + 무릅쓸 冒(모)의 윗부분
10. ④ 토끼 兎(토)/달아날 逸(일)
11. ③ 分娩室(분만실)
12. ① 晩年(만년)/早朝割引(조조할인)

◆ ━━━━━━━━━━━━━━━━━━━━━━━━━━━━━━ ◆

1. 广(엄) + 林(림) + 鬼(귀)
2. 鬼(귀) + 未(미)
3. 云(운) + 鬼(귀)
4. 酉(유) + 鬼(귀)
5. 田(전) + 辰(진)의 안쪽 부분
6. 이를 云(운) + 귀신 鬼(귀)
7. 아닐 未(미) + 귀신 鬼(귀)
8. 삼 麻(마) + 귀신 鬼(귀)
9. 귀신 鬼(귀) + 흙 土(토)
10. 귀신 鬼(귀) + 마음 忄(심)
11. 귀신 鬼(귀) + 사람 亻(인)

12. ③ 怪漢(괴한)/傀儡(괴뢰)/自愧(자괴)/鬼神(귀신)
13. ② 醜女(추녀)/美女(미녀)
14. ② 羞恥(수치)/自愧(자괴)

1. 匕(비) + 匕(비)   2. 匕(비) + 匕(비)
3. 亻(인) + 匕(비)   4. 歹(알) + 匕(비)
5. 늙을 耂(노) + 匕(비)   6. 늙을 耂(노) + 子(자)
7. 늙을 耂(노) + 匕(비)의 변형
8. 乚 + ノ   9. ④
10. ④ 老婆(노파)/늙은이 翁(옹)/兒童(아동)
11. ④
12. ② 思考(사고)/思念(사념)
13. ②
14. ④ 나머지는 다 '반의어'

◆ ━━━━━━━━━━━━━━━━━━━━━━━━━━━━━━ ◆

1. 化(화) + ++(초)
2. 化(화) + 貝(패)
3. ④ 貨物(화물)/花園(화원)/化身(화신)
4. ① 菊花(국화)
5. ②

◆ ━━━━━━━━━━━━━━━━━━━━━━━━━━━━━━ ◆

1. 扌(수) + 匕(비) + 日(일)
2. 皀(흡) + 卩(절)
3. 匕(비) + 日(일)
4. 白(백) + 匕(비)
5. 竹(죽) + 皀(흡) + 卩(절)
6. 皀(흡) + 목이 맬 旡(기)
7. 月(월) + 旨(지)
8. 맛있을 旨(지) + 손 扌(수)
9. 맛있을 旨(지) + 肉(육)달 月(월)
10. 고소할 皀(흡) + 목이 맬 旡(기)
11. ④ 其他(기타)
12. ①
13. ② 指摘(지적)

◆ ━━━━━━━━━━━━━━━━━━━━━━━━━━━━━━ ◆

1. 厶(사) + 月(월) + 匕(비)
2. 月(월) + 匕(비)
3. 能(능) + 心(심)
4. 罒(망) + 能(능)
5. 匕(비) + 矢(시) + 疋(필)
6. 氵(빙) + 疑(의)
7. 金(금) + 眞(진)
8. 忄(심) + 眞(진)
9. 참 眞(진) + 쇠 金(금)

10. 참 眞(진) + 마음 忄(심)
11. ③ 愼重(신중)히
12. ① 疑心(의심)/信賴(신뢰)
13. ③ 나머지는 다 '동물'
14. ④ 眞實(진실)/假飾(가식)

1. ㅅ(집) + 口(구) + 卩(절)
2. ㅅ(집) + 卩(절)
3. 令(령) + 頁(혈)
4. 雨(우) + 令(령)
5. 영 令(령) + 얼음 冫(빙)
6. 영 令(령) + 비 雨(우)
7. 영 令(령) + 口(국)
8. 영 令(령) + 머리 頁(혈)
9. 옷깃 領(령) + 뫼 山(산)
10. 영 令(령) + 이 齒(치)
11. ② 冷凍(냉동)/冷藏庫(냉장고)
12. ③ 命令(명령)
13. ④ 冷氣(냉기)/急冷(급랭)
14. ④ 衣服(의복)/服用(복용)/服從(복종)

1. 亻(인) + 亻(인)의 변형 + 卩(절)
2. 卬(앙) + 辶(착)
3. 扌(수) + 卬(앙)
4. 爪(조) + 卩(절)
5. 人(인)의 변형 + 厂(엄) + 㔾(절)
6. 言(언) + 危(위)
7. 4번과 동일
8. 厂(엄) + 㔾(절)
9. 나 卬(앙) + 사람 亻(인)
10. 나 卬(앙) + 갈 辶(착)
11. ③ 英國(영국)
12. ④ 崇仰(숭앙)/받들 卅(공)
13. ③
14. ③ 災殃(재앙)/災厄(재액)/禾穀(화곡)
15. ① 危險(위험)/安寧(안녕)
16. ② 詭辯(궤변)/欺瞞(기만)

1. 卩(절)의 변형 + 皀(흡) + 阝(부)
2. 고향 鄕(향) + 音(음)
3. 鄕(향) + 食(식)
4. 卩(절)의 변형 + 皀(흡) + 卩(절)
5. 竹(죽) + 車(차) + 㔾(절)
6. 皀(흡) + 卩(절)

7. 竹(죽) + 卽(즉)
8. 犭(견) + 㔾(절)
9. 곧 卽(즉) + 대 竹(죽)
10. 시골 鄕(향) + 밥 食(식)
11. ③ 模範(모범)/犯罪(범죄)/氾濫(범람)/印鑑(인감)
12. ② 規範(규범)
13. ① 卷頭言(권두언)/書冊(서책)

1. 夕(석) + 㔾(절) + 心(심)
2. 卄(초) + 夗(원)
3. 宀(면) + 夗(원)
4. 夕(석) + 㔾(절)
5. 누워서 뒹굴다 夗(원) + 마음 心(심)
6. 누워서 뒹굴다 夗(원) + 풀 卄(초)
7. 누워서 뒹굴다 夗(원) + 새 鳥(조)
8. 누워서 뒹굴다 夗(원) + 집 宀(면)
9. 굽을 宛(완) + 계집 女(여)
10. 굽을 宛(완) + 肉(육)달 月(월)
11. ④ 寺院(사원)
12. ③ 鹿苑(녹원)/樂園(낙원)
13. ① 鴛鴦(원앙)

1. 扌(수) + 尸(시) + 出(출)
2. 尸(시) + 出(출)
3. 尸(시) + 水(수)
4. 尸(시) + 毛(모)
5. 穴(혈) + 尸(시) + 出(출)
6. 尺(척) + 口(구)
7. 氵(수) + 旣(기)
8. 一(일) + 尢(왕)
9. 날 出(출) + 주검 尸(시)
10. 굽을 屈(굴) + 굴 穴(혈)
11. 굽을 屈(굴) + 손 扌(수)
12. 여자 중 尼(니) + 물 氵(수)
13. ③ 尿道(요도)/糞尿(분뇨)
14. ② 屈曲(굴곡)/直線(직선)
15. ① 魚頭肉尾(어두육미)
16. ② 比丘尼(비구니)
17. ① 泥田鬪狗(이전투구)

1. 尸(시) + 歹(알) + 匕(비)
2. 尸(시) + 옷 衣(의)의 변형(卄+畏(외)의 밑부분)
3. 尸(시) + 어우를 幷(병)
4. 尸(시) + 者(자)

5. 어우를 并(병) + 尸(시)

6. 놈 者(자) + 尸(시)

7. ③ 屍身(시신)

---

1. 扌(수) + 尸(시) + 至(지)

2. 尸(시) + 至(지)

3. 尸(시) + 古(고)

4. 尸(시) + 曾(증)

5. 尸(시) + 水(털 毛(모)의 변형) + 牛(우)

6. 犀(서) + 辶(착)

7. 氵(수) + 既(기)

8. 一(일) + 尤(왕)

9. 집 屋(옥) + 손 扌(수)

10. 나라이름 蜀(촉) + 尾(미)의 변형

11. ③ 나머지는 다 '집'과 관련

12. ④ 把握(파악)　　13. ② 高層(고층)

14. ① 遲滯(지체)

59강 - 큰/사람 大(대) ·········· 363

1. 一(일) + 大(대)　　2. 一(일) + 大(대)

3. 一(일) + 大(대)　　4. 大(대) + 丶(주)

5. 一(일) + 人(인)　　6. 人(인) + 大(대)

7. 大(대) + 丶(주)　　8. 一(일) + 儿(인)

---

1. 一(일) + 大(대) + 人(인)

2. 山(산) + 夾(협)　　3. 阝(부) + 夾(협)

4. 扌(수) + 夾(협)　　5. 大(대) + 丶(주)

6. 大(대) + 爻　　7. 木(목) + 人(인)

8. 낄 夾(협) + 개 犭(견)

9. 낄 夾(협) + 뫼 山(산)

10. ④ 來訪(내방)/往來(왕래)

11. ③ 狹小(협소)

12. ① 菽麥(숙맥)/麥酒(맥주)

13. ④ 亦是(역시)

---

1. 言(언) + 大(대) + 亐(우)

2. 大(대) + 亐(우)

3. 大(대) + 弓(궁)

4. 大(대) + 者(자)

5. 宀(면) + 釆(변) + 大(대)

6. 大(대) + 隹(추) + 寸(촌)

7. 大(대) + 卉(훼)

8. 大(대) + 隹(추) + 田(전)

9. 자랑할 夸(과) + 말씀 言(언)

10. ④ 奈落(나락)

---

11. ① 誇示(과시)/羞恥(수치)

12. ④ 奔走(분주)/東奔西走(동분서주)

13. 답이없음 儉素(검소)할 儉(검)자가 답이다.

14. ④ 奪取(탈취)

---

1. 艹(초) + 冂(경) + 大(대)

2. 歹(알) + 央(앙)

3. 冂(경) + 大(대)

4. 日(일) + 央(앙)

5. 가운데 央(앙) + 뼈 歹(알)

6. 가운데 央(앙) + 풀 艹(초)

7. 가운데 央(앙) + 해 日(일)

8. 터놓을/깍지 夬(쾌/결) + 마음 忄(심)

9. 터놓을/깍지 夬(쾌/결) + 물 氵(수)

10. 터놓을/깍지 夬(쾌/결) + 배불뚝이 그릇 缶(부)

11. 터놓을/깍지 夬(쾌/결) + 말씀 言(언)

12. ④ 災殃(재앙)

13. ② 快樂(쾌락)/爽快(상쾌)

14. ③ 女福(여복)/吉凶禍福(길흉화복)

15. ③ 會合(회합)/訣別(결별)/相逢(상봉)

---

1. 人(인) + 灬 + 大(대)

2. 口(구) + 奐(환)

3. 扌(수) + 奐(환)

4. 人(인) + 口(구) + 儿(인)

5. 빛날 奐(환) + 손 扌(수)

6. 빛날 奐(환) + 口(구)

7. ③ 畢竟(필경)

8. ③ 暗黑(암흑)/冥想(명상)/黃昏(황혼)

9. ① 喚呼(환호)

---

1. 夭(요) + 高(고)의 생략형

2. 木(목) + 喬(교)

3. 馬(마) + 喬(교)

4. 亻(인) + 喬(교)

5. 어릴 夭(요) + 계집 女(여)

6. 높을 喬(교) + 계집 女(여)

7. 높을 喬(교) + 나무 木(목)

8. 높을 喬(교) + 사람 亻(인)

9. 높을 喬(교) + 화살 矢(시)

10. 높을 喬(교) + 말 馬(마)

11. ③ 妙齡(묘령)/妖婦(요부)/重要(중요)

12. ③ 夭折(요절)

13. ① 驕慢(교만)

14. ③ 原稿(원고)/脫稿(탈고)

15. ②③④ 嬌態(교태)/愛嬌(애교)

1. 口(구) + 중간부분 + 大(대)
2. 吳(오) + 言(언)
3. 女(여) + 吳(오)
4. 나라이름/떠들다 吳(오) + 말씀 言(언)
5. 나라이름/떠들다 吳(오) + 계집 女(여)
6. ① 哀哭(애곡)/痛哭(통곡)
7. ③ 誤解(오해)/誤判(오판)/正誤(정오)
8. ③ 睡眠(수면) 나머지는 다 '즐겁다'
9. ② 娛樂(오락)/哀痛(애통)/哀愁(애수)

사 람

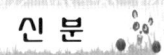

신 분

1. 巳(사) + 공(共) + 착(辶)
2. 식(食) + 손(巽)   3. 시(示) + 사(巳)
4. 공(共) + 사(巳)   5. 포(勹) + 사(巳)
6. 수(氵) + 항(巷)
7. 태아 사(巳) + 귀신/제단 시(示)
8. 거리 항(巷) + 물 수(氵)
9. 손괘 손(巽) + 갈 착(辶)
10. 손괘 손(巽) + 밥 식(食)
11. ①
12. ④ - 나머지는 다 제사와 관련
13. ④

1. 풍(豐) + 인(人) + 파(巴)
2. 인(人) + 파(巴)
3. 육(肉)달 월(月) + 파(巴)
4. 국(口) + 파(巴)
5. 사(糸) + 색(色)
6. 수(扌) + 파(巴)
7. 큰 뱀 파(巴) + 손 수(扌)
8. 큰 뱀 파(巴) + 풀 초(艹)
9. 큰 뱀 파(巴) + 육(肉)달 월(月)
10. ③   11. ④
12. ①   13. ③

1. 귀신 머리 불 + 인(儿) + 사(厶)

2. 궁(弓) + 사(厶)   3. 팔(八) + 사(厶)
4. 화(禾) + 사(厶)   5. ④
6. ③   7. ③
8. ②

1. 월(月) + 사(厶) + 구(口)
2. 족(足) + 태(台)
3. 여(女) + 태(台)
4. 태(台) + 심(心)
5. 태아 태(台) + 육(肉)달 월(月)
6. 태아 태(台) + 마음 심(心)
7. 태아 태(台) + 부서진 뼈 알(歹)
8. 태아 태(台) + 바람 풍(風)
9. 태아 태(台) + 물 수(氵)
10. ③   11. ③
12. ①   13. ③ - 위태(危殆)
14. ③ - 시종(始終)/시종일관(始終一貫)

1. 월(月) + 거(去) + 절(卩)
2. 거(去) + 절(卩)
3. 수(氵) + 거(去)
4. 토(土) + 사(厶) = 대(大) + 감(凵)
5. 갈 거(去) + 병부 절(卩)
6. 갈 거(去) + 힘 력(力)
7. 마음 심(忄) + 갈 거(去)
8. ③   9. ①
10. ④

1. 자(子) + 별(丿) + 사(糸)
2. 노(耂) + 자(子)
3. 인(人) + 자(子)
4. 자(子) + 명(皿)
5. 국(臼) + 새끼줄(爻) + 멱(冖) + 자(子)
6. 새끼줄(爻) + 자(子) + 복(攵)
7. 화(禾) + 자(子)
8. 목(木) + 자(子)
9. 자(子) + 을(乙)
10. 면(宀) + 자(子)
11. 수(扌) + 자(子)
12. 아들 자(子) + 두 글자 모두 의미요소
13. 오이 과(瓜) + 아들 자(子)
14. 없다 + 두 글자 모두 15. ④
16. ③   17. ③
18. ④   19. ①

1. 가를 지(支) + 계집 여(女)
2. 모 방(方) + 계집 여(女)
3. 없을/망할 망(亡) + 계집 여(女)
4. ②
5. ③ – 창기(娼妓)

1. 여(女) + 조(爪) + 이(二) + 별(丿) + 우(又)
2. 차(次) + 여(女)
3. 여(女) + 소(少)
4. 여(女) + 요(天)
5. 젊을 요(天) + 계집 여(女)
6. 당길 원(爰) + 계집 여(女)
7. 버금 차(次) + 계집 여(女)
8. ①

1. 여(女) + 우(又) + 심(心)
2. 노(奴) + 력(力)   3. 여(女) + 우(又)
4. 대(大) + 자(者)
5. 여(女) + 구(口) + 심(心)
6. 여(女) + 비(卑)   7. 화(禾) + 여(女)
8. 인(亻) + 위(委)
9. 수(扌) + 신(辛) + 여(女)
10. 신(辛) + 여(女)   11. 아(襾) + 여(女)
12. 월(月) + 요(要)
13. 종 노(奴) + 힘 력(力)
14. 종 노(奴) + 마음 심(心)
15. 낮을 비(卑) + 계집 여(女)
16. 첩 첩(妾) + 손 수(扌)
17. 구할 요(要) + 육(肉)달 월(月)
18. 맡길 위(委) + 사람 인(亻)
19. ②   20. ④
21. ④   22. ③
23. ①   24. ②
25. ③

1. 여(女) + 녁(疒) + 시(矢)
2. 여(女) + 태(台)   3. 여(女) + 면(免)
4. 여(女) + 신(辰)
5. 맡길 임(任) + 여자 여(女)
6. 날 신(辰) + 여자 여(女)
7. 면할 면(免) + 여자 여(女)
8. 병 질(疾) + 여자 여(女)
9. ③   10. ③
11. ②

1. 여(女) + 계(彐) + 멱(冖) + 건(巾)
2. 여(女) + 량(良)
3. 십(十) + 계(彐) + 여(女)
4. 신(辛) + 여(女)   5. 여(女) + 기(己)
6. 여(女) + 고(古)   7. 여(女) + 적(商)
8. 여(女) + 수(叟)   9. 여(女) + 시(市)
10. 여(女) + 미(未)
11. 어질 량(良) + 계집 여(女)
12. 이를 지(至) + 계집 여(女)
13. 아닐 미(未) + 계집 여(女)
14. 옛 고(古) + 계집 여(女)
15. 밑동 적(商) + 계집 여(女)
16. 늙은이 수(叟) + 계집 여(女)
17. ②   18. ③
19. ④

1. 면(宀) + 일(日) + 여(女)
2. 면(宀) + 여(女)   3. 수(扌) + 안(安)
4. 안(安) + 목(木)
5. 편안할 안(安) + 나무 목(木)
6. 편안할 안(安) + 손 수(扌)
7. 편안할 안(安) + 가죽 혁(革)
8. 계집 여(女) + 물 수(氵)
9. ③   10. ③ – 편안(便安)
11. ③ – 안마(按摩)   12. ④
13. ③ – 연회(宴會)

1. 팔(八) + 예(乂)   2. 부(父) + 근(斤)
3. 부(父) + 금(金)   4. 일(一) + 대(大)
5. 아비 부(父) + 쇠 금(金)
6. 아비 부(父) + 도끼 근(斤)
7. ②   8. ③
9. ③

1. 수(氵) + 인(人)의 변형 + 모(母)
2. 인(人)의 변형 + 모(母)
3. 매(每) + 복(攵)
4. 민(敏) + 사(糸)
5. 어미 모(母) + 사람 인(人) 변형
6. 매양 매(每) + 나무 목(木)
7. 매양 매(每) + 사람 인(亻)

8. 매양 매(每) + 물 수(氵)
9. 민첩할 민(敏) + 실 사(糸)
10. ③   11. ④
12. ②   13. ③
14. ③

66강 - 늙은이 로(老) ················· 414

1. 노(耂) + 비(匕)   2. 노(耂) + 자(子)
3. 노(耂) + 비(匕)의 변형
4. 노(耂) + 백(白)   5. ④
6. ③   7. ④

◆─────────────────────◆

1. 놈 자(者) + 대 죽(竹)
2. 놈 자(者) + 말씀 언(言)
3. 놈 자(者) + 해 일(日)
4. 놈 자(者) + 그물 망(罒)
5. 놈 자(者) + 실 사(糸)
6. 놈 자(者) + 주검 시(尸)
7. 놈 자(者) + 조개 패(貝)
8. 놈 자(者) + 고을 읍(阝)
9. ④   10. ③
11. ②   12. ② - 서민(庶民)
13. ④   14. ③

67강 - 길다 장(長) ················· 417

1. 장(長) + 삼(彡) + 발(癶)
2. 궁(弓) + 장(長)
3. 건(巾) + 장(長)
4. 장(長) + 삼(彡)
5. 크다 장(長) + 활 궁(弓)
6. 크다 장(長) + 수건 건(巾)
7. 베풀 장(張) + 물 수(氵)
8. ④   9. ③
10. ③

68강 - 신하 신(臣) ················· 418

1. 수(氵) + 와(臥) + 주(丶) + 명(皿)
2. 와(臥) + 주(丶) + 명(皿)
3. 금(金) + 감(監)
4. 와(臥) + 품(品)
5. 와(臥) + 로(囹) + 명(皿)
6. 초(艹) + 감(監)

7. 신(臣) + 인(人)
8. 3번과 동일

◆─────────────────────◆

1. 신(臣) + 우(又) + 사(糸)
2. 간(臣+又) + 월(月)
3. 간(臣+又) + 토(土)
4. 간(臣+又) + 패(貝)
5. 굳을 간(臣+又) + 흙 토(土)
6. 굳을 간(臣+又) + 실 사(糸)
7. 굳을 간(臣+又) + 육(肉)달월(月)
8. 볼 감(監) + 쇠 금(金)
9. 볼 감(監) + 물 수(氵)
10. 볼 감(監) + 풀 초(艹)
11. ③ - 견고(堅固)
12. ④ - 견고(堅固)

◆─────────────────────◆

1. 장(爿) + 과(戈) + 신(臣)
2. 초(艹) + 장(臧)
3. 월(月) + 장(藏)
4. 목(木) + 장(藏)
5. 착할 장(臧) + 풀 초(艹)
6. 감출 장(藏) + 육(肉)달월(月)
7. 감출 장(藏) + 나무 목(木)
8. ③   9. ④

69강 - 선비 사(士) ················· 421

1. 사(士) + 궐(亅) + 공(工) + 일(一) + 구(口) + 촌(寸)
2. 시(示) + 수(壽)   3. 수(氵) + 수(壽)
4. 사(士) + 구(口)
5. 선비 사(士) + 사람 인(亻)
6. 길할 길(吉) + 실 사(糸)
7. 목숨 수(壽) + 두 글자 모두
8. 목숨 수(壽) + 물 수(氵)
9. ②   10. ③
11. ① - 토지(土地)
12. ① - 체결(締結)/약조(約條)

70강 - 임금 왕(王) ················· 423

1. 임금 왕(王) + 해 일(日)
2. 임금 왕(王) + 개 견(犭)
3. ③ - 황제(皇帝)   4. ③
5. ③   6. ① - 주옥(珠玉)

삶 전쟁

1. 필 癶(발) + 활 弓(궁) + 창 殳(수)
2. 弓(궁) + ㅣ(곤)   3. 弓(궁) + 厶(사)
4. 弓(궁) + 長(장)   5. 弓(궁) + 홑 單(단)
6. 弓(궁) + 어조사 也(야)
7. 검을 玄(현) + 활 弓(궁)
8. 등질 癶(발) + (활 弓(궁)+창 殳(수))
9. 길 長(장) + 활 弓(궁)
10. 홑 單(단) + 활 弓(궁)
11. ④
12. ③ 發射(발사)
13. ④ 弘益人間(홍익인간)/狹小(협소)

1. 糸(사) + 言(언) + 활 弓(궁)
2. 활 弓(궁) + 口(구) + 虫(충)
3. 身(신) + 躬(궁)
4. 활 弓(궁) + 羽(우)
5. 활 弓(궁) + ㅣ(곤)
6. 활 弓(궁) + 大(대)
7. 활 弓(궁) + 몸 身(신)
8. 몸 躬(궁) + 구멍 穴(혈)
9. 아우 弟(제) + 대 竹(죽)
10. 彎(만)의 윗부분 + 활 弓(궁)
11. ③ 兄弟(형제)
12. ④
13. ③ 몸 躬(궁)/몸 體(체)

1. 아닐 弗(불) + 사람 亻(인)
2. 아닐 弗(불) + 손 扌(수)
3. 아닐 弗(불) + 조개 貝(패)
4. 아닐 弗(불) + 물 氵(수)
5. ④ 費用(비용)/佛像(불상)/拂拭(불식)

1. 女(여) + 병들어 기댈 疒(녁) + 화살 矢(시)
2. 병들어 기댈 疒(녁) + 화살 矢(시)
3. 人(인) + 화살 矢(시)
4. 禾(화) + 화살 矢(시)
5. 一(일) + 厶(사) + 土(토)
6. 丿(별) + 天(천)

7. 병 疾(질) + 계집 女(여)
8. 잃을 失(실) + 벼 禾(화)
9. ② 長短(장단)/短命(단명)/長壽(장수)
10. ②
11. ① 確信(확신)/疑心(의심)

1. 医(의) + 창 殳(수) + 술 酉(유)
2. 화살 矢(시) + 콩 豆(두)
3. 화살 矢(시) + 높을 喬(교)
4. 화살 矢(시) + 맡길 委(위)
5. 匕(비) + 화살 矢(시) + 矛(모)의 윗부분 + 필 疋(필)
6. 丿(별) + 天(천)
7. 높을 喬(교) + 화살 矢(시)
8. 맡길 委(위) + 화살 矢(시)

1. 화살 矢(시) + 口(구) + 日(일)
2. 화살 矢(시) + 口(구)
3. 병들어 기댈 疒(역) + 알 知(지)
4. 丿(별) + 天(천)
5. 알 知(지) + 해 日(일)
6. 알 知(지) + 병들어 기댈 疒(역)
7. ③ 弓矢(궁시)
8. ③

1. 亻(인) + 至(지) + 刂(도)
2. 至(지) + 刂(도)
3. 至(지) + 칠 攵(복)
4. 一(일) + (厶 +土) = 矢(시)
5. 宀(면) + 至(지)
6. 尸(시) + 至(지)
7. 女(여) + 至(지)
8. 4번과 동일
9. 칼 刂(도) + 이를 至(지)
10. 이를 到(도) + 사람 亻(인)
11. 이를 至(지) + 칠 攵(복)
12. 이를 至(지) + 계집 女(여)
13. ④ 送致(송치)/理致的(이치적)
14. ③ 나머지는 다 '집' 과 관련
15. ④ 나머지는 다 '가다' 와 관련
16. ② 到着(도착)/至極(지극)히
17. ① 室內(실내)/家屋(가옥)/屋內(옥내)/屋外(옥외)

1. ✕ + 木(목) + 법 式(식)

2. 言(언) + 법 式(식)
3. 扌(수) + 법 式(식)
4. 工(공) + 주살 弋(익)
5. 亻(인) + 주살 弋(익)
6. 발 止(지) + 창 戈(과)
7. 법 式(식) + 손 扌(수)
8. 법 式(식) + 말씀 言(언)
9. 법 式(식) + (✕ + 木(목))
10. ④ 直線(직선)
11. ③
12. ④ 提案(제안)
13. ④ 武器(무기)/武將(무장)

4강 – 창 戈(과) ····················· 65

1. 창 戈(과) + 사람 人(인)
2. 창 戈(과) + 十
3. 창 戈(과) + 두손 廾(공)
4. 戊(무) + 一   5. 戉(무) + 丶
6. 戈(과) + 丿   7. ④
8. ② 戊戌(무술)   9. ③ 도끼 戉(월)
10. ④   11. ② 警戒(경계)

1. 止(지) + 술(戉) + 소(少)=지(止)의 변형
2. 戊(무) + 叔(숙)의 왼편
3. 艹(초) + 戊(무)
4. 丿(별) + 戈(과)
5. 도끼 戊(무) + 풀 艹(초)
6. 叔(숙)의 왼편 + 도끼 戊(무)
7. ② 親戚(친척)/族屬(족속)
8. ③ 歲月(세월)/年度(연도)
9. ④ 成功(성공)

1. 戈(과) + 丿(별) + 一(일)
2. 戊(무) + 丁(정)
3. 土(토) + 成(성)
4. 言(언) + 成(성)
5. 이룰 成(성) + 흙 土(토)
6. 이룰 成(성) + 그릇 皿(명)
7. 이룰 成(성) + 말씀 言(언)
8. ③ 戊戌(무술)년
9. ① 成敗(성패)

1. 도끼 戊(무) + 一(일) + 口(구)
2. 다 咸(함) + 마음 心(심)
3. 물 氵(수) + 다 咸(함)

4. 마음 忄(심) + 느낄 感(감)
5. 대 竹(죽) + 다 咸(함)
6. 입 口(구) + 다 咸(함)
7. 실 糸(사) + 다 咸(함)
8. 도끼 戊(무) + 一(일)
9. 다 咸(함) + 입 口(구)
10. 다 咸(함) + 입 口(구)
11. 다 咸(함) + 실 糸(사)
12. 다 咸(함) + 마음 心(심)
13. 다 咸(함) + 물 氵(수)
14. ② 나머지는 다 '함'의 음가를 가짐
15. ② 喊聲(함성)
16. ① 加減(가감)
17. ④ 箴言(잠언) 나머지는 다 '감'

1. 물 氵(수) + 戌(술) + 火(화)
2. 戌(술) + 女(여)   3. 戊(무) + 丶(주)
4. 戊(무) + 一(일)   5. 戉(월) + 走(주)
6. ①   7. ② 滅亡(멸망)

1. 糸(사) + 戈(과) + 人(인)
2. 木(목) + 幾(기)
3. 艹(초) + 皿 + 지킬 戍(수)
4. 戈(과) + 人(인)
5. 기미 幾(기) + 나무 木(목)
6. 기미 幾(기) + 밥 食(식)
7. 기미 幾(기) + 밭 田(전)
8. ③
9. ③ 饑餓(기아)/飽滿(포만)
10. ② 蔑視(멸시)/두 손 받들 廾(공)

1. 言(언) + 戈(과) + 廾(공)
2. 戈(과) + 廾(공)
3. 戈(과) + 十(십)
4. 貝(패) + 戎(융)
5. 木(목) + 경계할 戒(계)
6. 糸(사) + 戎(융)
7. 되/오랑캐 戎(융) + 실 糸(사)
8. 경계할 戒(계) + 말씀 言(언)
9. 경계할 戒(계) + 나무 木(목)
10. ③ 警戒(경계)/誡命(계명)/機械(기계)
11. ③ 絨緞(융단)
12. ② 盜賊(도적)

1. 戈(과) + 口(구) + 丿
2. 或(혹) + 마음 心(심)

26 ＊ 해설 및 정답

3. 土(토) + 或(혹)
4. 口(국) + 或(혹)
5. 혹 或(혹) + 마음 心(심)
6. 혹 或(혹) + 흙 土(토)
7. ④ 나머지는 다 '혹' 地域(지역)
8. ② 地域(지역)/境界(경계)

---

1. 十(십) + 戈(과) + 口(구)
2. 哉(재) + 衣(의)
3. 哉(재) + 車(거)
4. 哉(재) + 木(목)
5. 어조사 哉(재) + 입 口(구)
6. 어조사 哉(재) + 옷 衣(의)
7. 어조사 哉(재) + 나무 木(목)
8. 어조사 哉(재) + 수레 車(거)
9. 어조사 哉(재) + 쇠 金(금) + 王(왕)
10. ④ 찰진 흙 戠(시)
11. ④
12. ③

---

1. 찰진 흙 戠(시) + 귀 耳(이)
2. 찰진 흙 戠(시) + 말씀 言(언)
3. 찰진 흙 戠(시) + 실 糸(사)
4. ③ 眞理(진리)
5. ③ 官職(관직)/職業(직업)/官吏(관리)
6. ② 知識(지식)

---

1. 羊(양) + 扌(수) + 戈(과)
2. 亻(인) + 義(의)
3. 言(언) + 義(의)
4. 扌(수) + 戈(과)
5. 옳을 義(의) + 말씀 言(언)
6. 옳을 義(의) + 사람 亻(인)
7. 나 我(아) + 밥 食(식)
8. ③ 是是非非(시시비비)
9. ④ 나머지는 다 '의'
10. ① 義人(의인)/僞善者(위선자)
11. ② 飢餓(기아)/飽食(포식)

---

1. 金(금) + 戈(과) + 戈(과)
2. 足(족) + 쌓일/해칠 戔(전/잔)
3. 歹(알) + 쌓일/해칠 戔(전/잔)
4. 食(식) + 쌓일/해칠 戔(전/잔)
5. 쌓일/해칠 戔(전/잔) + 발 足(족)
6. 쌓일/해칠 戔(전/잔) + 조개 貝(패)
7. 쌓일/해칠 戔(전/잔) + 물 氵(수)

8. 쌓일/해칠 戔(전/잔) + 뼈 歹(알)
9. 쌓일/해칠 戔(전/잔) + 그릇 皿(명)
10. 쌓일/해칠 戔(전/잔) + 쇠 金(금)
11. 쌓일/해칠 戔(전/잔) + 밥 食(식)
12. ④
13. ② 被害(피해)/殘酷(잔혹)
14. ② 深淺(심천)/深海(심해)
15. ③ 葉錢(엽전)
16. ③ 貴賤(귀천)

1. 창 矛(모) + 칠 攵(복) + 힘 力(력)
2. 비 雨(우) + 힘쓸 務(무)
3. 창 矛(모) + 나무 木(목)
4. 창 矛(모) + 이제 今(금)
5. 하나하나 분류해 보세요
6. 이제 今(금) + 창 矛(모) 矜持(긍지)
7. 창 矛(모) + 칠 攵(복)/힘 力(력)
8. 일 務(무) + 비 雨(우)
9. ③ 巫堂(무당)/霧散(무산)/勤務(근무)
10. ② 矛盾(모순)/창 戈(과)
11. ③ 勤務(근무)/勤勉(근면)

1. 舟(주) + 几(궤) + 又(우)
2. 나를 般(반) + 그릇 皿(명)
3. 言(언) + 창 殳(수)
4. 几(궤) + 又(우)
5. 扌(수) + 창 殳(수)
6. 손 扌(수) + 나를/돌 般(반)
7. 彳(척) + 창 殳(수)
8. 병들어 기댈 疒(역) + 창 殳(수)
9. 士(사) + 冖(멱) + 一(일) + 几(궤) + 殳(수)
10. 士(사) + 冖(멱) + 一(일) + 禾(화) + 殳(수)
11. 등질 癶(발) + 弓(궁)+殳(수)
12. 돌리다/나르다 般(반) + 그릇 皿(명)
13. 돌리다/나르다 般(반) + 손 殳(수)
14. ④ 一般(일반)/錚盤(쟁반)/折半(절반)
15. ④ 投擲(투척)/發射(발사)
16. ③ 使役(사역)
17. ③ 疫病(역병)
18. ③ 疫病(역병)/使役(사역)/叛逆(반역)/巡察(순찰)

---

1. 臼(구) + 工(공) + 창 殳(수)

2. ✕ + 丶(주) + 木(목) + 殳(수)

3. ✕ + 木(목) + 刂(도)

4. ✕ + 木(목) + 式(식)

5. 車(차) + 凵(감) + 殳(수) + 手(수)

6. 區(구) + 殳(수)

7. 段(단)의 왼편 + 殳(수)

8. 殼(각) + 几(궤)대신 벼 禾(화)

9. 법 式(식) + ✕ + 木(목)

10. 부딪힐 殼(격) + 손 手(수)

11. 지경 區(구) + 창 殳(수)

12. 껍질 殼(각) + 벼 禾(화)

13. ④

14. ② 寺刹(사찰)/刹那(찰나)

15. ② 弑害(시해)/出生(출생)

16. ① 毀損(훼손)/再建(재건)

17. ③ 出擊(출격)

18. ③ 穀食(곡식)/五穀(오곡)

7강 – 칼 刀/刂(도) ······························· 80

1. 丰(봉) + 刀(도) + 大(대)

2. 衣(의) + 刀(도)

3. 七(칠) + 刀(도)

4. 八(팔) + 刀(도)

5. 氵(수) + (丰+刀) + 糸(사)

6. 刀(도) + 口(구)

7. 일곱 七(칠) + 칼 刀(도)

8. 헤아릴 絜(혈) + 물 氵(수)

9. ④

10. ②

11. ③ 切斷(절단)/斷絕(단절)

12. ④ 終末(종말)/末尾(말미)/始終(시종)

13. ④ 淨潔(정결)/淸淨(청정)

◆

1. 刀(도) + 丶(주) + 心(심)

2. 言(언) + 忍(인)

3. 刀(도) + 丶(주)

4. 칼날 刃(인) + 마음 心(심)

5. 참을 忍(인) + 말씀 言(언)

6. ③

7. ④ 忍耐(인내)/堪耐(감내)

◆

1. 米(미) + 井(공) + 手(수)

2. (米+井) + 巳(절)

3. (米+井) + 刀(도)

4. 책 卷(권) + 口(국)

5. 책 卷(권) + 에울 口(위)

6. ② 招待券(초대권)/卷頭(권두)/勸勉(권면)

7. ①

◆

1. 小(소) + 月(월) + 刂(도)

2. 玉(옥) + 刂(도)

3. 舌(설) + 刂(도)

4. 半(반) + 刂(도)

5. 尸(시) + 巾(건) + 刂(도)

6. (立+口) + 刂(도)

7. 貝(패) + 刂(도)

8. 害(해) + 刂(도)

9. 가시 束(자) + 刂(도)

10. 부(立+口) + 칼 刂(도)

11. 반 半(반) + 칼 刂(도)

12. 혀 舌(설) + 칼 刂(도)

13. 산등성이 岡(강) + 칼 刂(도)

14. 술병 富(부)의 아랫부분 + 칼 刂(도)

15. ③ 法則(법칙)

16. ④. 창 戟(극)

17. ④ 强忍(강인)/剛健(강건)

18. ③ 副次的(부차적)/副社長(부사장)/次席(차석)

◆

1. 畵(화) + 칼 刂(도)

2. 돼지 亥(해) + 칼 刂(도)

3. 干(간) + 칼 刂(도)

4. 貝(패) + 칼 刂(도)

5. 방패 干(간) + 칼 刂(도)

6. 나무 깎을 彔(록) + 칼 刂(도)

7. ②

8. ① 法則(법칙)/太剛則折(태강즉절)

◆

1. 歹(알) + 칼 刂(도) + 衣(의)

2. 歹(알) + 칼 刂(도)

3. 禾(화) + 칼 刂(도) + 木(목)

4. 禾(화) + 칼 刂(도)

5. 骨(골) + 칼 刂(도)

6. 날카로울 利(리) + 나무 木(목)

7. 줄 列(렬) + 옷 衣(의)

8. ④ 判例(판례)

9. ③

10. ③ 離別(이별)

◆

1. 井(정) + 刂(도) + 土(토)

2. 井(정) + 彡(삼)

3. 井(정) + 칼 刂(도)

4. 우물 井(정) + 터럭 彡(삼)
5. 우물 井(정) + 칼 刂(도)
6. 형벌 刑(형) + 흙 土(토)
7. ③ 研磨(연마)/研究(연구)
8. ③

1. 言(언) + 斤(근) + 丶(주)
2. 斤(근) + 丶(주)
3. 斤(근) + 廾(공)
4. 扌(수) + 斤(근)
5. 辛(신) + 木(목) + 斤(근)
6. 木(목) + 斤(근)
7. 車(거) + 斤(근)
8. 斷(단)의 좌편 + 斤(근)
9. ④
10. ③
11. ③
12. ① 切斷(절단)/連結(연결)
13. ①

1. 辶(착) + 扌(수) + 斤(근)
2. 折(절) + 言(언)
3. 折(절) + 口(구)
4. 扌(수) + 斤(근)
5. 꺾을/쪼갤 折(절) + 입 口(구)
6. 꺾을/쪼갤 折(절) + 말씀 言(언)
7. 꺾을/쪼갤 折(절) + 갈 辶(착)
8. ④ 斥候(척후)/排斥(배척)
9. ③ 誓約(서약)/盟誓(맹서)

1. 斤(근) + 辶(착)   2. 斤(근) + 欠(흠)
3. 斤(근) + 匚(방)   4. 戶(호) + 斤(근)
5. 父(부) + 斤(근)   6. 示(시) + 斤(근)
7. 도끼 斤(근) + 갈 辶(착)
8. 도끼 斤(근) + 하품 欠(흠)
9. 아비 父(부) + 도끼 斤(근)
10. ② 遠近(원근)
11. ③ 장인 工(공)/工匠(공장)
12. ④ 欣快(흔쾌)/歡喜(환희)/哀愁(애수)

1. 一(멱) + 車(거) + 辶(착)

2. 一(멱) + 車(거)   3. 扌(수) + 軍(군)
4. 阝(부) + 車(거)   5. 光(광) + 軍(군)
6. 군사 軍(군) + 갈 辶(착)
7. ③ 軍兵(군병)/兵卒(병졸)

1. 竹(죽) + 車(거) + 卩(절)
2. 車(거) + 辶(착)
3. 臼(국) + 車(거) + 廾(공)
4. 艹(초) + 連(연)
5. 車(거) + 口(구) + 殳(수)
6. 玉(옥) + 刂(도)
7. 舌(설) + 刂(도)
8. 轂(격) + 手(수)
9. 지하수 巠(경) + 수레 車(거)
10. 소곤거릴 咠(집) + 수레 車(거)
11. 아닐 非(비) + 수레 車(거)
12. 사귈 交(교) + 수레 車(거)
13. 부딪칠 轂(격) + 손 手(수)
14. 부딪칠 轂(격) + 실 糸(사)
15. ④ 柔軟(유연)/連續(연속)/蓮花(연화)/運搬(운반)
16. ④ 輕擧妄動(경거망동)/重量級(중량급)
17. ④ 規則(규칙)/規範(규범)/模範(모범)
18. ③ 比較(비교)
19. ④ 銃擊(총격)/價格(가격)/막을/솥 鬲(격/력)

1. 수레 車(거) + 집 广(엄)
2. 군사 軍(군) + 갈 辶(착)
3. 오로지 專(전) + 수레 車(거)
4. 조리 侖(륜) + 수레 車(거)
5. 말미암을 由(유) + 수레 車(거)
6. 哉(재)의 口(구)제외한 부분 + 수레 車(거)
7. 점점 兪(유) + 수레 車(거)
8. 아홉 九(구) + 수레 車(거)
9. ④ 車庫(차고)/倉庫(창고)
10. ③ 車輪(차륜)/車軸(차축)/軌道(궤도)

1. 수레 車(거) + 斤(근) + 흙 土(토)
2. 벨 斬(참) + 마음 心(심)
3. 氵(수) + 斬(참)
4. 수레 車(거) + 斤(근)
5. 수레 車(거) + 斤(근) + 日(일)
6. 벨 斬(참) + 흙 土(토) 塹壕(참호)
7. 벨 斬(참) + 마음 心(심) 慚愧(참괴)
8. 벨 斬(참) + 해 日(일) 暫時(잠시)
9. 벨 斬(참) + 물 氵(수) 漸漸(점점)
10. ③ 나머지는 다 '참'

11. ④ 羞恥(수치)/慙愧(참괴)

12. ① 暫時(잠시)

1. 舟(주) + 八(팔) + 口(구)

2. 돌다/돌리다 般(반) + 皿(명)

3. 舟(주) + 殳(수)

4. 扌(수) + 돌다/돌리다 般(반)

5. 舟(주) + 監(감) 艦艇(함정)

6. 舟(주) + 廷(정) 快速艇(쾌속정)

7. 연(八+口) + 배 舟(주)

8. 돌다/돌리다 般(반) + 그릇 皿(명)

9. 돌다/돌리다 般(반) + 손 扌(수)

10. 돌다/돌리다 般(반) + 돌 石(석)

11. 흰 白(백) + 배 舟(주)

12. 볼 監(감) + 배 舟(주)

13. 조정/관청 廷(정) + 배 舟(주)

14. ③ 船舶(선박) 나머지는 다 '반'

15. ③ 巖盤(암반)

16. ③ 運搬(운반)/移送(이송)

1. 연(八+口) + 물 氵(수)

2. 연(八+口) + 쇠 金(금)

3. 연(八+口) + 배 舟(주)

4. ③ 沿岸(연안)/連結(연결)/鉛筆(연필)

5. ① 船舶(선박)/一葉片舟(일엽편주)

1. 모 方(방) + 갈 彳(척) 彷徨(방황)

2. 모 方(방) + 칠 攵(복) 解放(해방)

3. 놓을 放(방) + 사람 亻(인) 模倣(모방)

4. 모 方(방) + 언덕 阝(부) 防禦(방어)

5. 모 方(방) + 말씀 言(언) 訪問(방문)

6. 모 方(방) + 계집 女(여) 妨害(방해)

7. 모 方(방) + 실 糸(사) 紡織(방직)

8. 모 方(방) + 풀 ++(초) 芳年(방년)

9. 모 方(방) + 立(립) 곁 旁(방) 傍系(방계)

10. 두루 旁(방) + 사람 亻(인) 傍聽(방청)/袖手傍觀(수수방관)

11. 두루 旁(방) + 말씀 言(언) 誹謗(비방)

12. ③ 旅行(여행)

13. ① 彷徨(방황)/行方不明(행방불명)

14. ③ 芳年(방년)

15. ③ 探訪(탐방)

16. ② 誹謗(비방)

1. 깃발 언(方+人) + 子(자) + 辶(착) 遊覽(유람)

2. 언(方+人) + 其(기) 太極旗(태극기)

3. 언(方+人) + 矢(시) 族閥(족벌)

4. 언(方+人) + 두 사람(人) 旅行(여행)

5. 氵(수) + 白(백) + 放(방) 激流(격류)

6. 亻(인) + 놀 敖(오) 傲慢(오만)

7. 언(方+人) + 여성생식기 也(야) 報施(보시)

8. 언(方+人) + 疋(필) 旋回(선회)

9. 그 其(기) + 깃발 언(方+人)

10. 깃발 㫃(유) + 갈 辶(착) 遊覽船(유람선)

11. 흰 白(백) + (언(方+人)+氵(수))

12. 놀 敖(오) + 사람 亻(인)

13. ④ 太極旗(태극기)

14. ③ 激流(격류)/激烈(격렬)

15. ① 施設(시설)

16. ① 謙遜(겸손)/傲慢(오만)

17. ② 激浪(격랑)/順調(순조)

1. 亠(두) + 刀(도) + 丫(아) + 氏(씨) + 月(월)에서 一(일)제거

2. 가지런할 齊(제) + 칼 刂(도) 調劑(조제)

3. 氵(수) + 齊(제) 救濟(구제)

4. 가지런할 齊(제) + 물 氵(수)

5. 가지런할 齊(제) + 칼 刂(도)

6. ④ 觀察(관찰)

7. ③ 救濟(구제)/濟度(제도)

1. 月(월) + 又(우) + 보일 示(시) 祭祀(제사)

2. 보일 示 + 태아 巳(사) 祭祀(제사)

3. 보일 示 + 申(신) 鬼神(귀신)

4. 보일 示 + 술병 富(부) 幸福(행복)

5. 보일 示 + 豊(풍) 禮儀(예의)

6. 보일 示 + 斤(근) 祈禱(기도)

7. 보일 示 + 목숨 壽(수) 祝禱(축도)

8. 보일 示 + 且(차) 祖上(조상)/先祖(선조)

9. 펼 申(신) + 보일 示(시)

10. 입 비뚤어질 咼(괘/와) + 보일 示(시) 吉凶禍福(길흉화복)/轉禍爲福(전화위복)

11. ④

12. ③ 先祖(선조)/後孫(후손)

13. ③ 祈禱(기도)/祝禱(축도)

14. ① 禍福(화복)

15. ③ 災殃(재앙)/災禍(재화)/吉兆(길조)

---

1. 月(월) + 又(우) + 보일 示(시)
2. 宀(면) + 祭(제)　　　3. 阝(부) + 祭(제)
4. 扌(수) + 察(찰)　　　5. 又(우) + 月(월)
6. 제사 祭(제) + 언덕 阝(부)
7. 살필 察(찰) + 손 扌(수)
8. ①　　　　　　　　　　9. ②
10. ③
11. ④ 視察(시찰)/除去(제거)/祭祀(제사)/交際(교제)
12. ② 祭祀(제사)
13. ④ 觀察(관찰)/摩擦(마찰)/寺刹(사찰)/祭祀(제사)
14. ③ 觀察(관찰)/審査(심사)

---

1. 木(목) + 木(목) + 보일 示(시) 禁止(금지)
2. 보일 示(시) + 羊(양) 祥瑞(상서)
3. 宀(면) + 보일 示(시) 宗敎(종교)
4. 보일 示(시) + 홑 單(단) 禪宗(선종)
5. 보일 示(시) + 나무 깎을 彔(록) 福祿(복록)
6. 보일 示(시) + 맡을 司(사) 祠堂(사당)
7. 양 羊(양) + 보일 示(시)
8. 홑 單(단) + 보일 示(시)
9. 나무 깎을 彔(록) + 보일 示(시)
10. ④ 祈禱(기도) 나머지는 다 '사'
11. ② 禁止(금지)
12. ④ 吉祥(길상)/祥瑞(상서)
13. ② 宗敎(종교)

---

1. 氵(수) + 覀(아) + 보일 示(시) – 浮漂(부표)
2. 覀(아) + 보일 示(시) – 車票(차표)
3. 木(목) + 票(표) – 標識(표지)
4. 覀(아) + 나무 木(목) – 生栗(생율)
5. 불똥 튈 票(표) + 나무 木(목)
6. 불똥 튈 票(표) + 물 氵(수)
7. ④ 展示會(전시회)/나머지는 다 '표'
8. ③ 生栗(생율)/粟米(속미)/車票(차표)

---

1. 广(엄) + 占(점) – 店鋪(점포)
2. 卜(복) + 口(구) – 卜占(복점)
3. 米(미) + 占(점) – 粘液(점액)
4. 黑(흑) + 占(점) – 黑點(흑점)/斑點(반점)
5. 2번과 동일
6. 차지할 점 占(점) + 집 广(엄) – 店鋪(점포)
7. 점칠 占(점) + 검을 黑(흑) – 斑點(반점)

---

8. 차지할 占(점) + 쌀 米(미) – 粘着劑(점착제)
9. ③
10. ② 卜債(복채)

---

1. 亻(인) + 卜(복) + 貝(패) – 偵探(정탐)
2. 卜(복) + 무(조) – 卓越(탁월)
3. 卜(복) + 貝(패) – 貞潔(정결)
4. 言(언) + 卜(복) – 訃告(부고)
5. 扌(수) + 圭(규) + 卜(복) – 掛念(괘념)
6. 圭(규) + 卜(복) – 卦鐘(괘종)
7. 4번과 동일
8. 半(반) + 刂(도) – 判斷(판단)
9. 尸(시) + 巾(건) + 刂(도) – 印刷(인쇄)
10. 走(주) + 卜(복) – 赴任(부임)
11. 곧을 貞(정) + 사람 亻(인)
12. 점 卜(복) + 나무 木(목)
13. 점 卜(복) + 달릴 走(주)
14. 홀 圭(규) + 점 卜(복)
15. 걸 卦(괘) + 손 扌(수) – 掛念(괘념)
16. ④　　　　　　　　　17. ④
18. ② 卓越(탁월)/高見(고견)
19. ① 卦鐘時計(괘종시계)/掛念(괘념)치 말게

---

1. 山(산) + 厂(엄) + 干(간) – 海岸(해안)
2. 干(간) + 刂(도) – 創刊號(창간호)
3. 女(여) + 干(간) – 奸巧(간교)/奸臣(간신)
4. 氵(수) + 干(간) – 汗蒸幕(한증막)
5. 방패 干(간) + 칼 刂(도)
6. 방패 干(간) + 肉(육) 달 月(월) – 肝膽(간담)
7. 방패 干(간) + 계집 女(여)
8. 방패 干(간) + 幹(간)의 나머지 – 根幹(근간)
9. 방패 干(간) + 해 日(일) – 가물 旱(한)
10. 방패 干(간) + 물 氵(수) – 땀 汗(한)
11. 방패 干(간) + 바위 厂(엄) + 뫼 山(산)
12. 평평할 平(평) + 말씀 言(언) – 批評(비평)
13. 평평할 平(평) + 흙 土(토)
14. ③
15. ③
16. ③
17. ① 가물 旱(한)/旱魃(한발)/洪水(홍수)
18. ③

---

1. 言(언) + 罒(망)=目(목)의 가로쓰기 + 幸(행)
2. 1번과 동일
3. 罒(망)=目(목) + 幸(행) – 엿볼 睪(역)
4. 幸(행) + 卩(절) + 又(우)
5. 엿볼 睪(역) + 말 馬(마) – 驛長(역장)
6. 엿볼 睪(역) + 말씀 言(언) – 飜譯(번역)
7. 엿볼 睪(역) + 분별할 釆(변) – 解釋(해석)
8. 엿볼 睪(역) + 물 氵(수) – 沼澤地(소택지)
9. 엿볼 睪(역) + 손 扌(수) – 採擇(채택)
10. ③
11. ① – 報告(보고)
12. ① 執權(집권)/釋放(석방)
13. ②
14. ①

1. 에울/나라 口(위/국) + 或(혹)
2. 에울/나라 口(위/국) + 韋(위)
3. 에울/나라 口(위/국) + 袁(원)
4. 에울/나라 口(위/국) + 사람 巴(파)
5. 다룸가죽 韋(위) + 에울/나라 口(위/국)
6. 옷길 袁(원) + 에울/나라 口(위/국)
7. ④   8. ③

1. 氵(수) + 囚(수) + 皿(명)
2. 에울/나라 口(위/국) + 人(인)
3. 에울/나라 口(위/국) + 大(대)
4. 女(여) + 因(인) – 姻戚(인척)
5. 에울/나라 口(위/국) + 木(목) – 困難(곤란)
6. 에울/나라 口(위/국) + 古(고) – 固定(고정)
7. 인할 因(인) + 계집 女(여)
8. 인할 因(인) + 입 口(구) – 咽喉炎(인후염)
9. 에울/나라 口(위/국) + 古(고) – 確固(확고)
10. ① 罪囚(죄수)/放免(방면)
11. ④
12. ② 婚姻(혼인)
13. ③

1. 口(구) + 에울/나라 口(위/국) + 夂(인)
2. 彳(척) + 回(회)
3. 口(구) + 에울/나라 口(위/국)
4. 에울/나라 口(위/국) + 員(원) – 圓形(원형)
5. 에울/나라 口(위/국) + 專(전) – 團員(단원)
6. 에울 위(口) + 인색할 몹(비) – 圖鑑(도감)
7. 돌 回(회) + 끌 廴(인) – 巡廻(순회)

8. 돌 回(회) + 갈 彳(척) – 徘徊(배회)
9. 수효 員(원) + 에울 위(口) – 圓滿(원만)
10. 오로지 專(전) + 에울 위(口) – 團結(단결)
11. ② – 圖面(도면)
12. ③
13. ③ 나머지는 다 '둥글다'의 뜻

1. 月(월) + 川(천) + 囟(신)
2. 忄(심) + 川(천) + 囟(신)
3. 田(전) + 心(심)
4. 虍(호) + 思(사)
5. 丶(주) + 위(口) + ✕
6. 굴뚝 囱(창) + 心(심)
7. 糸(사) + 囱(창) + 心(심) – 總統(총통)
8. 耳(이) + 바쁠 悤(총) – 聰明(총명)
9. 丶(주) + 위(口) + 夂(치)
10. 바쁠 悤(총) + 실 糸(사)
11. 바쁠 悤(총) + 귀 耳(이)
12. ③
13. ④
14. ② 多忙(다망)/忙中閑(망중한)
15. ④

삶
의식주

1. 亠(두) + 口(구) + 衣(의)의 아랫부분
2. 亠(두) + 衣(의)의 아랫부분
3. 衣(의) + 丑(축)
4. 口(국) + 옷이 길다 袁(원)
5. 옷 衣(의) + 口(구) + 口(구)
6. 哀(애) + 一(일)
7. 袁(원) + 辶(착)
8. 亻(인) + 衣(의)
9. 옷 衣(의) + 사람 亻(인)
10. 긴 옷 袁(원) + 개 犭(견)
11. ① 哀哭(애곡)/衰弱(쇠약)
12. ④ 衰退(쇠퇴)

1. 衣(의) + 里(리)   2. 衣(의) + 刀(도)
3. 丰(봉) + 衣(의)
4. 衤(의) + 谷(곡)

5. 衣(의) + 目(목) + 물 氺(수)
6. 품을 褱(회) + 마음 忄(심) - 懷抱(회포)
7. 衤(의) + 皮(피)
8. 衤(의) + 果(과) - 赤裸裸(적나라)
9. 품을 褱(회) + 마음 忄(심)
10. ③ - 입 口(구)가 부수 나머진 옷 衤(의)
11. ②

◆━━━━━━━━━━━━━━━━━━━━━━━━━◆
1. 도울 襄(양) + 흙 土(토) - 土壤(토양)
2. 도울 襄(양) + 말씀 言(언) - 辭讓(사양)
3. 도울 襄(양) + 술병 酉(유) - 釀造(양조)
4. ④ 土壤(토양)

1. 巾(건) + 丶(주) + 攵(복) + 巾(건)
2. 숭상할 尙(상) + 수건 巾(건)
3. 비낄 十(십) + 巾(건)
4. ✕ + 布(포) = 爻 + 巾(건)
5. 月(월) + 저자 市(시) - 心肺(심폐)
6. 벼 禾(화) + 바랄/듬성듬성하다 希(희)
7. 一(일) + 巾(건)
8. 丨 + 冂
9. 벼 禾(화) + 듬성듬성하다 希(희) - 稀少(희소)
10. ④ 마음 忄(심) - 恐怖(공포)
11. ④ 나머지는 다 '포' 4번은 비단 幣(폐)

◆━━━━━━━━━━━━━━━━━━━━━━━━━◆
1. 우거질 茻(망) + 해 日(일) + 巾(건)
2. 广(엄) + 廾(입) + 巾(건)
3. 巾(건) + 長(장)
4. 帶(대)의 윗부분 + 巾(건)
5. 氵(수) + 띠 帶(대)
6. 오히려 尙(상) + 巾(건)
7. 길 長(장) + 수건 巾(건)
8. 없을 莫(막) + 수건 巾(건)
9. ③ 賃金滯拂(임금체불)/滯症(체증)/停滯(정체)
10. ④ 停滯(정체)/急滯(급체)

◆━━━━━━━━━━━━━━━━━━━━━━━━━◆
1. 糸(사) + 白(백) + 巾(건)
2. 木(목) + 비단 帛(백) - 棉花(면화)
3. 쇠 金(금) + 비단 帛(백) - 錦上添花(금상첨화)
4. 白(백) + 巾(건) - 幣帛(폐백)
5. 쇠 金(금) + 비단 帛(백)
6. ③ 純綿(순면)/棉花(면화)/햇솜 緜(면)/錦繡(금수)
7. ② 周到綿密(주도면밀)

1. 豐(풍) + 人(인) + 巴(파)
2. 卝(입) + 寅(인)의 아랫부분만
3. 人(인) + 巴(파)
4. 土(토) + 火(화)
5. 丿(별)없는 生(생) + 円(엔)
6. 丶(주) + 口(구) + 土(토) + 灬(화)
7. ③ 赤化統一(적화통일)

1. 靑(청) + 爭(쟁)
2. 삐침 丿(별)없는 날 生(생) + 円(엔)
3. 氵(수) + 靑(청)   4. 日(일) + 靑(청)
5. 米(미) + 靑(청)   6. 犭(견) + 靑(청)
7. 푸를 靑(청) + 물 氵(수)
8. 푸를 靑(청) + 해 日(일)
9. ③ 感情(감정)/精米(정미)/靜寂(정적)/猜忌(시기)
10. ③ 猜忌(시기)

1. 土(토-大(대)의 변형) + 火(화)
2. 赤(적) + 赤(적)
3. 赤(적) + 攵(복)
4. ② 클 奕(혁) - 큰 大(대)가 부수자

1. 扌(수) + 广(엄) + 黃(황)
2. 木(목) + 黃(황)
3. 广(엄) + 黃(황)
4. 卝(입) + 寅(인)의 아랫부분
5. 金(금) + 广(엄) + 黃(황)
6. 扌(수) + 廣(광)
7. 氵(수) + 寅(인)
8. ③ 擴張(확장)/鑛山(광산)/廣場(광장)/曠野(광야)
9. ③ 橫木(횡목)/橫斷(횡단)/專橫(전횡)/橫死(횡사)

1. 艹(초) + 千(천) + 黑(흑)
2. 熏(훈) + 力(력)

3. 千(천) + 黑(흑)
4. 黑(흑) + 土(토)
5. 연기 낄/연기 올라갈 熏(훈) + 풀 ++(초)
6. 연기 낄/연기 올라갈 熏(훈) + 힘 力(력)
7. ② 沈默(침묵)/墨香(묵향)/잠잠할 嘿(묵)/㶅(흑)

1. 忄(심) + 門(문) + 文(문)
2. 門(문) + 文(문)
3. 虍(호) + 文(문)
4. 文(문) + 糸(사)
5. 무늬 文(문) + 실 糸(사) – 指紋(지문)
6. 무늬 文(문) + 실 糸(사) – 紊亂(문란)
7. ④ 敬虔(경건)

1. 爪 + 孑(모)의 윗부분 +冂 + ム + 又 + 辛
2. 죄인 서로 송사할 변(辛+辛) + 刂(도)
3. 亂(란)의 왼편(다스릴 란) + 乙(을)의 변형
4. 죄인 서로 송사할 변(辛+辛) + 言(언)
5. 매울 辛(신) + 나머지 글자(木+斤)
6. 11번만 볼 見(견) 나머지는 매울 辛(신)

1. 聿(율) + 田(전) + 凵(감)
2. 竹(죽) + 聿(율)
3. 畫(화) + 刂(도)
4. 聿(봉) + ㄱ(계)
5. 聿(율) + 灬(화) + 皿(명)
6. 聿(율) + 旦(단)
7. 聿(율) + 曰(왈)
8. 彳(척) + 聿(율)
9. 붓 聿(율) + 조금 걸을 彳(척)
10. ③ 嚴肅(엄숙)
11. ③

1. 세울 建(건) + 사람 亻(인)
2. 세울 建(건) + 쇠 金(금)
3. ④ 進退(진퇴)
4. ① 健康(건강)

1. 子-(자) + 丿(별) + 糸(사)

2. 亻(인) + 系(계)
3. 孫(손) + 辶(착)
4. 丿(별) + 糸(사)
5. 손자 孫(손) + 갈 辶(착)
6. 이을 系(계) + 사람 亻(인)
7. ② 系譜(계보)/直系(직계)

1. 糸(사) + 白(백) + 水(수)
2. 糸(사) + 김(소)
3. 氵(수) + 종 奚(해)
4. 糸(사) + 各(각)
5. 亠(두) + 亻(인) + 月(월)의 변형
6. 糸(사) + 己(기)
7. 糸(사) + 斷(단)의 왼편
8. 부딪칠 彀(격) + 糸(사)
9. 부를 김(소) + 실 糸(사)
10. 몸 己(기) + 糸(사)
11. ④ 給與(급여)
12. ④ 紹介(소개)

1. 糸(사) + 甫(보) + 寸(촌)
2. 糸(사) + 吉(길)
3. 糸(사) + 勺(작)
4. 糸(사) + 交(교)
5. 十(십) + 冖(멱) + 糸(사) – 索引(색인)
6. 田(전) + 糸(사)
7. 糸(사) + 帝(제)
8. 糸(사) + 方(방)
9. 糸(사) + 言(언) + 攵(치)
10. 縣(현)의 왼편 + 계(系)
11. 매달 縣(현) + 마음 心(심)
12. 糸(사) + 咸(함)
13. 매달 縣(현) + 마음 心(심) – 懸賞金(현상금)
14. 모 方(방) + 실 糸(사) – 紡織(방직)
15. 사귈 交(교) + 실 糸(사) – 絞殺(교살)
16. 넓적할 扁(편) + 실 糸(사) – 編輯(편집)
17. 만날 逢(봉) + 실 糸(사) – 縫製(봉제)
18. 다 咸(함) + 실 糸(사) – 緘口令(함구령)
19. ③ 索引(색인)/索莫(삭막)
20. ① 累犯(누범)/累進稅(누진세)/連累(연루)
21. ② 緘口令(함구령)

1. 실 糸(사) + 白(백) + 巾(건)
2. 실 糸(사) + 彔(록)
3. 실 糸(사) + 장구벌레 肙(연)
4. 실 糸(사) + 미칠 及(급)

5. 미칠 及(급) + 실 糸(사) – 等級(등급)
6. ① 紙幣(지폐)/絹織(견직)

---

1. 실 糸(사) + 互(계) + 水(수)
2. 실 糸(사) + 工(공)
3. 실 糸(사) + 丰(봉)
4. 실 糸(사) + 甘(감)
5. 미칠 及(급) + 실 糸(사)
6. ① 絹織物(견직물)/純綿(순면)/紙面(지면)

---

1. 糸(사) + 爪(조) + 一(일) + 友(우)
2. 糸(사) + 充(충)
3. 간(臣+又) + 糸(사)
4. 糸(사) + 隹(추)
5. 糸(사) + 彐(계) + 片(편) + 一(일) + 爿(장)
6. 糸(사) + 岡(강)
7. 糸(사) + 色(색)
8. 糸(사) + 田(전)
9. 산등성이 岡(강) + 실 糸(사) – 綱領(강령)
10. 펼칠 申(신) + 糸(사) – 紳士(신사)
11. ③ – 統率(통솔)
12. ③ – 紀綱(기강)
13. ④ – 紳士(신사)

---

1. 장구벌레 肙(연) + 손 扌(수)
2. ③ – 絹絲(견사)
3. ② – 捐補(연보)/水災義捐金(수재의연금)

27강 – 작을 幺/么(요) ·············· 244

1. 幺(요) + 幺(요) + 戍(수)
2. 山(산) + 幺(요)   3. 幺(요) + 力(력)
4. 幺(요) + 丁(정)   5. ② – 幻想(환상)
6. ③ – 深山幽谷(심산유곡)/幽靈(유령)

28강 – 벼 禾(화) ·············· 245

1. 禾(화) + 禾(화) + 彐(계)
2. 禾(화) + 彐(계)
3. 禾(화) + 刂(도)
4. 禾(화) + 多(다)
5. 禾(화) + 隹(추) + 又(우)
6. 禾(화) + 責(책)
7. 禾(화) + 火(화)
8. 禾(화) + 兌(태)

---

9. 무거울 重(중) + 벼 禾(화)
10. 확(萑+又) + 벼 禾(화)
11. 껍질 殼(각) + 벼 禾(화)
12. 꾸짖을 責(책) + 벼 禾(화)
13. 또 且(차) + 벼 禾(화)
14. 바꾸다 兌(태) + 벼 禾(화)
15. 다스릴 厤(력) + 벼 禾(화)
16. 다스릴 厤(력) + 해 日(일)
17. ③
18. ① – 黎明(여명)
19. ③
20. ① – 解放(해방)/秉燭(병촉)
21. ① – 銳利(예리)
22. ③ – 季嫂(계수)/伯仲叔季(백중숙계)
23. ③
24. ④

---

1. 言(언) + 秀(수)   2. 禾(화) + 乃(내)
3. 秋(추) + 心(심)   4. 利(리) + 木(목)
5. 禾(화) + 女(여)   6. 矢(시) + 委(위)
7. 禾(화) + 火(화)   8. 秀(수) + 辶(착)
9. 벼 禾(화) + 입 口(구)
10. 날카로울/이로울 利(리) + 나무 木(목)
11. 빼어날 秀(수) + 말씀 言(언)
12. 빼어날 秀(수) + 갈 辶(착)
13. 가을 秋(추) + 마음 心(심)
14. 맡길 委(위) + 사람 亻(인)
15. 맡길 委(위) + 화살 矢(시)
16. ③
17. ③ – 和合(화합)/協力(협력)
18. ② – 秀才(수재)
19. ① – 愁心(수심)/識字憂患(식자우환)
20. ②
21. ④ – 矮小(왜소)/長身(장신)

---

1. 禾(화) + 爪(조) + 臼(구)
2. 禾(화) + 希(희)
3. 禾(화) + 隹(추)
4. 禾(화) + 儿(인)
5. 艹(초) + 魚(어) + 禾(화)
6. 禾(화) + 斗(두)
7. 禾(화) + 爪(조) + 나아갈 冉(염)
8. 禾(화) + 드릴 呈(정)
9. 잃을 失(실) + 벼 禾(화) – 秩序(질서)
10. 새 隹(추) + 벼 禾(화)
11. 바라다/드물다 希(희) + 벼 禾(화)

12. 적을 少(소) + 벼 禾(화)
13. 도(宀 + 臼) + 벼 禾(화)
14. 드리다/한도 呈(정) + 벼 禾(화)
15. 높을 高(고) + 벼 禾(화)
16. ② - 秩序(질서)/第一(제일)
17. ④ - 幼稚(유치)
18. ③ - 稀少(희소)/衆寡不敵(중과부적)
19. ③   20. ② - 禿山(독산)
21. ③ - 蘇生(소생)   22. ① - 公私(공사)

1. 겸할 兼(겸) + 말씀 言(언)
2. 겸할 兼(겸) + 집 广(엄)
3. 겸할 兼(겸) + 계집 女(여)
4. ① - 嫌惡(혐오)/厭症(염증)
5. ①. - 謙遜(겸손)/傲慢(오만)
6. ④ - 執行(집행)/把握(파악)/秉燭(병촉)

1. 쌀 米(미) + 丰(봉) + 冂(엔)
2. 쌀 米(미) + 또 且(차)
3. 쌀 米(미) + 설 立(립)
4. 糸(사) + 分(분)
5. 米(미) + 占(점)
6. 쌀 米(미) + 농막 庄(장)
7. 쌀 米(미) + 다를 異(이)
8. 쌀 米(미) + 군사 卒(졸)
9. 또 且(차) + 쌀 米(미)
10. 설 立(립) + 쌀 米(미)
11. 푸를 靑(청) + 쌀 米(미)
12. 나눌 分(분) + 쌀 米(미)
13. 차지할 占(점) + 쌀 米(미)
14. 농막 庄(장) + 쌀 米(미)
15. ① - 純粹(순수)/雜穀(잡곡)
16. ③ - 粘度(점도)/膠着(교착)
17. ② - 化粧(화장)/粧飾(장식)
18. ① - 糞尿(분뇨)

1. 丿(별) + 쌀 米(미)
2. 釆(변) + 밭 田(전)
3. 김 汽(기)의 우편 + 쌀 米(미)
4. 쌀 米(미) + 갈 辶(착)
5. 분별할 釆(변) + 밭 田(전)
6. 쌀 米(미) + 갈 辶(착)
7. ② - 迷宮(미궁)

1. 米(미) + 犬(견) + 頁(혈)
2. 米(미) + 斗(두)
3. 米(미) + 唐(당)
4. 米(미) + 헤아릴 量(량)
5. 당나라 唐(당) + 쌀 米(미)
6. 헤아릴 量(량) + 쌀 米(미)
7. 마을 曹(조) + 쌀 米(미)
8. 편안할 康(강) + 쌀 米(미)
9. ③ - 大衆(대중)/類類相從(유유상종)
10. ③
11. ② - 糖分(당분)/甘言(감언)

1. 보일 示(시) + 풍성할 豊(풍)
2. 骨(골) + 풍성할 豊(풍)
3. 曲(곡) + 豆(두)
4. 등질 癶(발) + 豆(두)
5. 矢(시) + 豆(두)
6. 十(십) + 豆(두) + 가지 支(지)
7. 豆(두) + 머리 頁(혈)
8. 火(화) + 오를 登(등)
9. 오를 登(등) + 불 火(화)
10. 콩/제기 豆(두) + 머리 頁(혈)
11. ③
12. ③
13. ③ - 上昇(상승)/登山(등산)/降下(강하)
14. ④
15. ④ - 豊富(풍부)/充足(충족)/多福(다복)/帳簿(장부)
16. ③ - 身體(신체)

1. 木(목) + 壴(주) + 寸(촌)
2. 악기이름 壴(주) + 寸(촌)
3. 十(십) + 豆(두)
4. 壴(주) + 터럭 彡(삼)
5. 壴(주) + 口(구)
6. 肉(육)달 月(월) + 彭(팽)
7. 악기이름 壴(주) + 손 寸(촌)
8. 세울 尌(주) + 나무 木(목)
9. 성 彭(팽) + 물 氵(수)
10. 성 彭(팽) + 肉(육)달月(월)
11. ④   12. ①
13. ④ - 한 壹(일)   14. ④ - 哀愁(애수)

1. 犭(견) + 子(자) + 皿(명)
2. 不(부) + 皿(명)
3. 般(반) + 皿(명)
4. 침 연(氵+欠) + 皿(명)
5. 艹(초) + 去(거) + 皿(명)
6. 分(분) + 皿(명)
7. 子(자) + 皿(명)
8. 虍(호) + 田(전) + 皿(명)
9. 氵(수) + 囚(수) + 皿(명)
10. 聿(율) + 灬(화) + 皿(명)
11. 成(성) + 皿(명)
12. 明(명) + 皿(명)
13. 맏 孟(맹) + 개 犭(견)
14. 이룰 成(성) + 그릇 皿(명)
15. 옮기다/돌리다 般(반) + 그릇 皿(명)
16. 나눌 分(분) + 그릇 皿(명)
17. ②   18. ③

---

1. 臥(와) + 血(혈) + 見(견)
2. 氵(수) + 監(감)   3. 臥(와) + 血(혈)
4. 金(금) + 監(감)   5. 舟(주) + 監(감)
6. 礻(의) + 監(감) – 襤褸(남루)
7. 氵(수) + 氺(수) + 皿(명)
8. 氺(수) + 皿(명)
9. 볼 監(감) + 쇠 金(금) – 鑑別(감별)
10. ③
11. ④ – 觀覽(관람)/藍色(남색)/襤褸(남루)

1. 八(팔) + 酉(유) + 寸(촌)
2. 높을 尊(존) + 갈 辶(착)
3. 八(팔) + 酉(유)
4. 제물 올릴 奠(전) + 고을 (阝)=邑(읍)
5. ④ – 鄭重(정중)
6. ① – 醜態(추태)

---

1. 医(의) + 殳(수) + 酉(유)
2. 氵(수) + 酉(유)   3. 酉(유) + 勺(작)
4. 酉(유) + 州(주)   5. 酉(유) + 卒(졸)
6. 酉(유) + 도울 襄(양)
7. 犭(견) + 八(팔) + 酉(유)
8. 酉(유) + 星(성)
9. 酉(유) + 孝(효)
10. 酉(유) + 잠깐 乍(사)
11. 구기 勺(작) + 술 酉(유)

12. 丁(정) + 술 酉(유)
13. 별 星(성) + 술 酉(유)
14. 도울 襄(양) + 술 酉(유)
15. 장수/장차 將(장) + 술 酉(유)
16. ④ – 執行猶豫(집행유예)
17. ③ – 醫院(의원)

1. 宀(면) + 玉(옥) + 缶(부) + 貝(패)
2. 阝(부) + 기와 굽는 가마 요(勹 + 缶)
3. 요(月+缶) + 갈 辶(착)
4. 缶(부) + 터놓을/깍지 夬(쾌/결)
5. 손 扌(수) + 요(月 + 缶)
6. 기와 굽는 가마 요(勹 + 缶) + 언덕 阝(부)
7. 터놓을/깍지 夬(쾌/결) + 장군 缶(부)
8. ③ – 寶物(보물)
9. ④ – 缺格事由(결격사유)

1. 실 糸(사) + 网(망) + 亡(망)
2. 金(금) + 岡(강)
3. 岡(강) + 刂(도)
4. 网(망) + 亡(망)
5. 冂(경) + 艹(초) + 山(산)
6. 실 糸(사) + 罔(망)
7. 그물 罔(망) + 실 糸(사)
8. 산등성이 岡(강) + 쇠 金(금)
9. 산등성이 岡(강) + 실 糸(사)
10. 산등성이 岡(강) + 刂(도)
11. ③ – 岡陵(강릉)
12. ④ – 紀綱(기강)/綱領(강령)

---

1. 罒(망) + 실 糸(사) + 隹(추)
2. 꾸짖을 罵(리) + 칼 刂(도)
3. 罒(망) + 非(비)
4. 罒(망) + 能(능)
5. 日(일) + 者(자) – 暴暑(폭서)/署長(서장)
6. 罒(망) + 直(직)
7. ③ – 拘置所(구치소)
8. ④ – 罷業(파업)

1. 矛(모)의 윗대가리 + 가로 亅(궐) + 亅(궐)

2. 里(리) + 나 予(여)

3. 广(엄) + 줄 予(여)

4. 나/줄 予(여) + 象(상)

5. ④ – 野山(야산)/平野(평야)

6. ③ – 秩序(질서)/序列(서열)

---

1. 享(향) + 丸(환) + 灬(화)

2. 高(고)의 윗부분 + 子(자)

3. 享(향) + 丸(환)

4. 高(고)의 윗부분 + 了(료)

5. 高(고)의 윗부분 + 了(료) + 灬(화)

6. ㄱ + 亅(궐)

7. 氵(수) + 享(향)

8. 누구 孰(숙) + 土(토)

9. 누구 孰(숙) + 흙 土(토)

10. 누구 孰(숙) + 불 灬(화)

11. ① – 享受(향수)

12. ③ – 淳朴(순박)

36강 – 절구 臼(구) ································ 271

1. 두 손 臼(국) + 与(여) + 廾(공)

2. 마주들 舁(여) + 同(동)

3. 두 손 臼(국) + 廾(공)

4. 千(천) + 절구 臼(구)

5. 扌(수) + 千(천) + 절구 臼(구)

6. 臼(구) + 어찌 焉(언)에서 正(정)뺀 모습

7. 舂(춘)의 윗부분 + 臼(구) – 찧을 舂(용)

8. 풀 많을 萑(추) + 절구 臼(구)

9. 가래 臿(삽) + 손 扌(수) – 挿入(삽입)

10. 卝(관) 또는 艹(초) + 隹(추)

11. 절구 臼(구) + 풀 무성할 萑(추)

12. ③

---

1. 言(언) + 人(인) + 臼(구)

2. 禾(화) + 퍼낼 臽(요)

3. 阝(부) + (人+臼)

4. 爪(조) + 臼(구)

5. 臼(구) + 工(공) + 殳(수)

6. 氵(수) + 퍼낼 臽(요) – 稻熱病(도열병)

7. ② – 滔滔(도도)히

8. ② – 毁損(훼손)

37강 – 쓸 用(용) ································ 274

1. 氵(수) + 甬(용) + 力(력)

2. 矛(모)의 윗부분 + 用(용)

3. 甬(용) + 力(력)

4. 足(족) + 甬(용)

5. 길 甬(용) + 힘 力(력)

6. 날쌜 勇(용) + 물 氵(수)

7. 길/물 솟아오를 甬(용) + 발 足(족)

8. ① – 勇敢(용감)

9. ② – 舞踊(무용)

---

1. 用(용) + 一(일) + 丶(주)

2. 扌(수) + 클 甫(보)

3. 氵(수) + 클 甫(보)

4. 金(금) + 클 甫(보)

5. ④ – 捕獲(포획)

6. ④ – 店鋪(점포)

---

1. 貝(패) + 甫(보) + 寸(촌)

2. 十(십) + 펼치다 尃(부)

3. 亻(인) + 펼치다 尃(부)

4. 클 甫(보) + 손 寸(촌)

5. 클 甫(보) + 모 方(방) + 칠 攵(복)

6. 氵(수) + 펼치다 尃(부)

7. 竹(죽) + 氵(수) + 펼치다 尃(부)

8. 糸(사) + 펼치다 尃(부)

9. 衤(의) + 클 甫(보)

10. 펼치다 尃(부) + 조개 貝(패) – 賻儀(부의)

11. 펼치다 尃(부) + 사람 亻(인) – 師傅(사부)

12. 펼치다 尃(부) + 대 竹(죽) – 帳簿(장부)

13. 클 甫(보) + (모 方(방) + 칠 攵(복)

14. ② – 賻儀金(부의금)

15. ② – 帳簿(장부)

38강 – 덮을 襾(아) ································ 278

1. 月(월) + 襾(아) + 女(여)

2. 襾(아) + 女(여)

3. 襾(아) + 貝(패)

4. 윗부분 + 冂

5. 구할 要(요) + 肉(육)달 月(월)

6. 되돌아 올 復(복) + 덮을 襾(아)

7. ①

8. ② – 腰痛(요통)

39강 – 안석 几(궤) ································ 280

1. 工(공) + 凡(범) + 心(심)

2. 凡(범) + 虫(충)

3. 巾(건) + 凡(범)

4. 几(궤) + 丶(주)

5. 무릇 凡(범) + 수건 巾(건) － 帆船(범선)

6. 목 亢(항) + 손 扌(수) － 抵抗(저항)

7. 목 亢(항) + 배 舟(주) － 航海(항해)

8. ③

1. 뉘(장) + 目(목) + 片(편)

2. 貝(패) + 刂(도)　　　3. 貝(패) + 攵(복)

4. 且(차) + 廾(공)　　　5. ② － 敗退(패퇴)

6. ② － 具備(구비)

1. 鬼(귀) + 斗(두)

2. 나 余(여) + 斗(두)

3. 米(미) + 斗(두)

4. 禾(화) + 斗(두)

5. ④ － 泰山北斗(태산북두)/斗酒不辭(두주불사)

6. ① － 魁首(괴수)

1. 医(의) + 殳(수) + 酉(유)

2. 감출 匸(혜) + 品(품)

3. 상자 匚(방) + 도끼 斤(근)

4. 甘(감) + 匹(필) + 力(력)

5. 土(토) + 심할 甚(심)

6. 甘(감) + 匹(필)　　　7. 匚(방) + 儿(인)

8. ② － 匠人(장인)　　　9. ④ － 極甚(극심)

1. 쌀 勹(포) + 凵(감) + ×

2. 肉(육)달 月(월) + 오랑캐 匈(흉)

3. 氵(수) + 오랑캐 匈(흉)

4. 흉할 凶(흉) + 儿(인)

5. 凵(감) + ×

6. 凵(감) + 발 止(지)

7. 오랑캐 匈(흉) + 肉(육)달 月(월)

8. 흉할 凶(흉) + 사람 儿(인)

9. 흉할 凶(흉) + 쌀 勹(포)

10. 오랑캐 匈(흉) + 물 氵(수)

11. ①

12. ③ － 匈奴(흉노)

1. 扌(수) + 尸(시) + 出(출)

2. 구멍/굴 穴(혈) + 屈(굴)

3. 尸(시) + 出(출)

4. 扌(수) + 出(출)

5. 굽을 屈(굴) + 구멍/굴 穴(혈) － 洞窟(동굴)

6. 굽을 屈(굴) + 손 扌(수) － 採掘(채굴)

7. ② － 屈伏(굴복)

8. ① － 掘鑿(굴착)

1. 집 宀(면) + 亻(인) + 百(백)

2. 집 宀(면) + 正(정)의 변형

3. 집 宀(면) + 돼지 豕(시)

4. 집 宀(면) + 이를 至(지)

5. 바를 正(정) + 집 宀(면)

6. 어조사 于(우) + 집 宀(면)

7. 말미암을 由(유) + 집 宀(면)

8. ②

9. ② － 室內(실내)/內室(내실)/貴賓室(귀빈실)

1. 臾(유) + 追(추)의 우편 + 辶(착)

2. 竹(죽) + 官(관)

3. 食(식) + 官(관)

4. 木(목) + 官(관)

5. 追(추)의 우편 + 辶(착)

6. 집 宀(면) + 많을 官(관)의 아랫부분)

7. 벼슬/관청 官(관) + 대 竹(죽) － 管樂器(관악기)

8. 벼슬/관청 官(관) + 밥 食(식) － 旅館(여관)

9. 벼슬/관청 官(관) + 나무 木(목) － 入棺(입관)

10. ③ － 官廳(관청)/旅館(여관)/入棺(입관)/追放(추방)

11. 답이 없음 － 派遣(파견)/派送(파송)

12. ③ － 管絃樂(관현악)

13. ④ － 逐出(축출)/追放(추방)

1. 면(宀) + 옥(玉) + 부(缶) + 패(貝)

2. 면(宀) + 찰 복(富)의 밑 부분

3. 면(宀) + 봉(丰) + 구(口)

4. 면(宀) + 촌(寸)

5. 면(宀) + 관(冊) + 패(貝)

6. 해(宝) + 도(刂)

7. 면(宀) + 정(丁)

8. 패(貝) + 저(宁)
9. 면(宀) + 봉(丰) + 목(目) + 심(心)
10. 면(宀) + 필(必) + 산(山)
11. 쌓을 저(宁) + 조개 패(貝)
12. 반드시 필(必) + 나머지 부분(宀+山)
13. 찰 복 + 글자 모두
14. 답 없음
15. ①   16. ④
17. ③   18. ③ - 保守

◆───────────────────────◆

1. 宀(면) + 八 +八 + 口(구)
2. 宀(면) + 펼 선(一+日+一)
3. 宀(면) + 且(차)
4. 宀(면) + 臣(신) - 宦官(환관)
5. 宀(면) + 心(심) + 皿(명) + 丁(정)
6. 宀(면) + 示(시)
7. 宀(면) + 幸(행)

◆───────────────────────◆

1. 宀(면) + 卄(입) + 卄(입) + 廾(공) + 冫(빙)
=틈 하 + 얼음 冫(빙)
2. 宀(면) + 莫(막)
3. 宀(면) + 叔(숙)
4. 宀(면) + 女(여)
5. 宀(면) + 爿(장) + 彐(손) + 冖(멱) + 又(우)
6. 宀(면) + 頁(혈)의 변형 + 刀(도)
7. 아재비 叔(숙) + 집 宀(면)
8. 없을 莫(막) + 집 宀(면)
9. ①   10. ④
11. ①

◆───────────────────────◆

1. 宀(면) + 卄(초) + 見(견) + 丶(주)
2. 宀(면) + 까치 작(臼+勹+灬)
3. 宀(면) + 兎(토)
4. 宀(면) + 番(번)
5. 약초이름 한(卄 + 見 + 丶(주) + 집 宀(면)
6. 원숭이 禺(우) + 집 宀(면)
7. ①   8. ③
9. ①

1. 穴(혈) + 身(신) + 弓(궁)
2. 穴(혈) + 牙(아)   3. 穴(혈) + 九(구)
4. 穴(혈) + 乍(사)   5. 穴(혈) + 工(공)
6. 穴(혈) + 屈(굴)
7. 穴(혈) + 井(정)

8. 宀(면) + 八(팔)
9. 잠깐 乍(사) + 두 글자 모두
10. 몸 躬(궁) + 두 글자 모두
11. 아홉 九(구) + 두 글자 모두
12. 장인 工(공) + 구멍 穴(혈)
13. 굽을 屈(굴) + 구멍 穴(혈)
14. 우물 井(정) + 두 글자 모두
15. ③   16. ④

◆───────────────────────◆

1. 穴(혈) + 厶(사) + 心(심)
2. 穴(혈) + 犬(견)
3. 穴(혈) + 至(지)
4. 穴(혈) + 羔(고)
5. 사람 이름 离(설) + 나머지 글자
6. 이를 至(지) + 구멍 穴(혈)
7. ②   8. ④

1. 爪(조) + 冖(멱) + 又(우)
2. 冖(멱) + 車(거)
3. 人(인) + 罒(망) + 大(대-廾(공)의 변형)
4. 冖(멱) + 日(일) + 六(육-廾(공)의 변형)
5. ②   6. ③
7. ③

1. 广(엄) + 亻(인) + 寸(촌)
2. 广(엄) + 聽(청)
3. 广(엄) + 朝(조)
4. 广(엄) + 車(거)
5. 줄 付(부) + 두 글자 모두
6. 들을 聽(청) + 두 글자 모두
7. 차지할 占(점) + 두 글자 모두
8. 수레 車(거) + 두 글자 모두
9. 아침 朝(조) + 두 글자 모두
10. 겸할 兼(겸) + 집 广(엄)
11. ②   12. ①
13. ②

◆───────────────────────◆

1. 广(엄) + 郎(랑)   2. 广(엄) + 廷(정)
3. 广(엄) + 黃(황)   4. 广(엄) + 郭(곽)
5. 广(엄) + 氐(저)   6. 广(엄) + 隶(이)
7. 广(엄) + 發(발)

8. 사나이 郎(랑) + 집 广(엄)

9. 조정 廷(정) + 집 广(엄)

10. 누를 黃(황) + 집 广(엄)

11. 성곽 郭(곽) + 집 广(엄)

12. 근본 氐(저) + 집 广(엄)

13. ② - 柱廊(주랑)/廊下(낭하)

14. ③   15. ②

16. ①

---

1. 辶(착) + 广(엄) + 卄(입) + 灬(화)

2. 广(엄) + 卄(입) + 灬(화)

3. 많을 庶(서)의 획 줄임 + 巾(건)

4. 广(엄) + 坐(좌)

5. 앉을 坐(좌) + 집 广(엄)

6. 많을 庶(서) + 갈 辶(착)

7. ①   8. ④

---

1. 법도 度(도) + 물 氵(수)

2. 나 予(여) + 집 广(엄)

3. ③   4. ④

5. ④

48강 - 좋을 良(량) ················· 302

1. 广(엄) + 良(량) + 阝(부)

2. 良(량) + 月(월)

3. 良(량) + 阝(부)

4. 氵(수) + 良(량)

5. 좋을 良(량) + 물 氵(수)

6. 좋을 良(량) + 언덕 阝(부)

7. 사나이 郎(랑) + 집 广(엄)

8. 좋을 良(량) + 달 月(월)

9. 좋을 良(량) + 여자 女(여)

10. 좋을 良(량) + 개 犭(견)

11. ③   12. ④

13. ② - 波浪注意報(파랑주의보)

14. ③

15. ①

16. ② - 狼狽(낭패)를 만났다/보았다

49강 - 높을 高(고) ················· 304

1. 馬(마) + 夭(요) + 高(고)의 생략형

2. 矢(시) + 喬(교)

3. 夭(요) + 高(고)의 생략형

4. 木(목) + 喬(교)

5. 높을 喬(교) + 사람 亻(인)

6. 높을 喬(교) + 여자 女(여)

7. 높을 喬(교) + 나무 木(목)

8. 높을 喬(교) + 화살 矢(시)

9. 높을 喬(교) + 두 글자 모두

10. ③ - 原稿(원고)

11. ③

12. ② - 矯正(교정)

13. ③ - 倨慢(거만)/驕慢(교만)/傲慢(오만)

---

1. 高(고)의 획 줄임 + 豕(시)

2. 高(고)의 획 줄임 + 毛(모)

3. 氵(수) + 豪(호)

4. 禾(화) + 高(고)

5. 높을 高(고) + 벼 禾(화)

6. 높을 高(고) + 두 글자 모두

7. 높을 高(고) + 털 毛(모)

8. 호걸 豪(호) + 흙 土(토)

9. 호걸 豪(호) + 물 氵(수)

10. ④ - 草稿(초고)

11. ③

---

1. 日(일) + 京(경) + 彡(삼)

2. 魚(어) + 京(경)

3. 日(일) + 京(경)

4. 冫(빙) + 京(경)

5. 서울 京(경) + 해 日(일)

6. 볕 景(경) + 터럭 彡(삼)

7. 서울 京(경) + 얼음 冫(빙)

8. 서울 京(경) + 두 글자 모두

9. 나아갈 就(취) + 발 足(족)

10. ④   11. ④

12. ③   13. ① - 進就(진취)

14. ③

50강 - 문 門(문) ················· 308

1. 門(문) + 一(일) + 廾(공)

2. 門(문) + 口(구)

3. 門(문) + 才(재)

4. 門(문) + 耳(이)

5. 門(문) + 絲(사) + 卝(관)

6. 門(문) + 各(각)

7. 門(문) + 兌(열)

8. 門(문) + 厥(궐)의 (厂)생략

9. 문 門(문) + 입 口(구)

10. 문 門(문) + 귀 耳(이)
11. 문 門(문) + 각각 各(각)
12. 문 門(문) + 북에 실 꿸 관(絲+卅)
13. 문 門(문) + 숨찰 궐(厥(궐)의 (厂)생략)
14. ④   15. ①
16. ② – 閃光(섬광)   17. ④ – 宮闕(궁궐)

◆━━━━━━━━━━━━━━━━━━━━━━━━◆
 1. 氵(수) + 門(문) + 王(왕)
 2. 門(문) + 文(문)
 3. 門(문) + 王(왕)
 4. 忄(심) + 閔(민) – 憐憫(연민)/憫惘(민망)
 5. 사이 間(간) + 대 竹(죽)
 6. 문 門(문) + 무늬 文(문)
 7. 위문할 閔(민) + 마음 忄(심)
 8. 문 門(문) + 마음 心(심) – 煩悶(번민)
 9. 윤달 閏(윤) + 물 氵(수)
10. 홀 圭(규) + 문 門(문)
11. 칠 伐(벌) + 문 門(문) – 門閥(문벌)/學閥(학벌)
12. ③   13. ④
14. ④

 1. 厂(엄) + 泉(천) + 頁(혈)
 2. 氵(수) + 原(원)
 3. 厂(엄) + 泉(천)
 4. 白(백) + 水(수)
 5. 근원 原(원) + 머리 頁(혈)
 6. 근원 原(원) + 물 氵(수)
 7. ③   8. ③

◆━━━━━━━━━━━━━━━━━━━━━━━━◆
 1. 人(인) + 厂(엄) + 巴(절)
 2. 厂(엄) + 巴(절)
 3. 厂(엄) + 又(우)
 4. 厂(엄) + 日(일) + 子(자)
 5. 厂(엄) + 圭(규)
 6. 氵(수) + 厓(애)
 7. 山(산) + 厓(애)
 8. 厂(엄) + 日(일) + 月(월) + 犬(견)
 9. 山(산) + 灰(회)
10. 高(고)의 생략형 + 子(자)
11. 언덕 厓(애) + 물 氵(수)
12. 언덕 厓(애) + 뫼 山(산)
13. ③   14. ③
15. ①   16. ②
17. ③

 1. 阝(부) + 夌(릉)   2. 阝(부) + 皆(개)
 3. 阝(부) + 坴(육)   4. 阝(부) + 方(방)
 5. 모두 皆(개) + 언덕 阝(부)
 6. 완전할 完(완) + 언덕 阝(부)
 7. 모 方(방) + 언덕 阝(부)
 8. 되돌릴 反(반) + 언덕 阝(부)
 9. 언덕/넘을 夌(릉) + 언덕 阝(부)
10. 언덕 坴(륙) + 언덕 阝(부)
11. ③   12. ④
13. ③

◆━━━━━━━━━━━━━━━━━━━━━━━━◆
20. 언덕 阝(부) + 人(인)의 변형 + 臼(구)
21. 언덕 阝(부) + 祭(제)
22. 언덕 阝(부) + 鬲(격/력)
23. 언덕 阝(부) + 章(장)
24. 阝(부) + 爪(조) + 一(일) + 彐(계) + 心(심)
25. 언덕 阝(부) + 艮(간)
26. 언덕 阝(부) + 僉(첨)
27. 글 章(장) + 언덕 阝(부)
28. 막을·솥 鬲(격/력) + 언덕 阝(부)
29. 제사 祭(제) + 언덕 阝(부)
30. 다 僉(첨) + 언덕 阝(부)
31. 돌아볼/어긋날 艮(간) + 언덕 阝(부)
32. ①   33. ①
34. ②   35. ②

◆━━━━━━━━━━━━━━━━━━━━━━━━◆
 1. 阝(부) + 八(팔) + 豕(시)
 2. 阝(부) + 步(보)
 3. 隊(대) + 土(토)
 4. 阝(부) + 舛(천)
 5. 阝(부) + 今(금) + 云(운)
 6. 阝(부) + 昜(양)
 7. 阝(부) + 付(부)
 8. 줄 付(부) + 언덕 阝(부)
 9. 그늘 음 + 글자 모두
10. 볕 昜(양) + 글자 모두
11. ①   12. ③
13. ③   14. ③

◆━━━━━━━━━━━━━━━━━━━━━━━━◆
 1. 언덕 阝(부) + 勹(포) + 缶(부)
 2. 언덕 阝(부) + 車(거)
 3. 언덕 阝(부) + 夊(치) + 一(일) + 生(생)
 4. 언덕 阝(부) + 東(동)
 5. 匋(도) + 두 글자 모두

6. 내릴 降(강) + 날 生(생)
7. 도깨비 불 린(米+舛) + 언덕 阝(부)
8. ②
9. ③
10. ④ - 隣接(인접)/隣近(인근)

◆
1. 언덕 阝(부) + 左(좌) + 月(월)
2. 骨(골) + 隨(수)의 阝(부)생략
3. 辶(착) + 隋(수)
4. 隋(수) + 土(토)
5. 忄(심) + 阝(부)생략 隋(수)
6. 수나라 隋(수) + 갈 辶(착)
7. 따를 隨(수) + 뼈 骨(골)
8. 나머지 제사 고기 隋(타) + 흙 土(토)
9. 나머지 제사 고기 隋(타) + 마음 心(심)
10. ③   11. ② - 墮落(타락)
12. ①

53강 - 고을 邑/阝(읍) ······················ 319

◆
1. 尹(윤) + 口(구) + 고을 邑/阝(읍)
2. 가를 부(立+口) + 고을 邑/阝(읍)
3. 者(자) + 고을 邑/阝(읍)
4. 卩(절) + 고을 邑/阝(읍) + 卩(절)
5. 良(량) + 고을 邑/阝(읍)
6. 口(구) + 巴(파)
7. 임금 君(군) + 고을 邑/阝(읍)
8. 가를 부(立+口) + 고을 邑/阝(읍)
9. 놈 者(자) + 고을 邑/阝(읍)
10. 좋을 良(량) + 고을 邑/阝(읍)
11. ②   12. ③
13. ①

◆
1. 좋을 良(량) + 고을 邑/阝(읍)
2. 어금니 牙(아) + 고을 邑/阝(읍)
3. 근본 氐(저) + 고을 邑/阝(읍)
4. 변방/드리울/끝 垂(수) + 고을 邑/阝(읍)
5. ② - 奸邪(간사)   6. ③
7. ① - 新郎(신랑)

◆
1. 약할 염(丑과 비슷) + 고을 邑/阝(읍)
2. 丰(봉) + 고을 邑/阝(읍)
3. 됴(구) + 고을 邑/阝(읍)
4. 耳(이) + 고을 邑/阝(읍)
5. 예쁠 丰(봉) + 고을 邑/阝(읍)
6. 언덕 丘(구) + 고을 邑/阝(읍)

54강 - 멀다/면데 冂(경) ······················ 322

1. 向(향) + 八(팔)   2. 尙(상) + 衣(의)
3. 尙(상) + 巾(건)   4. 尙(상) + 土(토)
5. 尙(상) + 貝(패)   6. 尙(상) + 田(전)
7. 亻(인) + 尙(상) + 貝(패)
8. 尙(상) + 手(수)
9. 宀(면) + 口(구)
10. 尙(상) + 黑(흑)
11. 오히려/숭상할 尙(상) + 수건 巾(건)
12. 오히려/숭상할 尙(상) + 옷 衣(의)
13. 오히려/숭상할 尙(상) + 조개 貝(패)
14. 상줄 賞(상) + 사람 亻(인)
15. 오히려/숭상할 尙(상) + 손 手(수)
17. 오히려/숭상할 尙(상) + 검을 黑(흑)
18. 오히려/숭상할 尙(상) + 밭 田(전)
19. ③   20. ① - 恒常(항상)
21. ④   22. ③ - 賞罰(상벌)
23. ②   24. ③
25. ③

◆
1. 冂(경) + 一(일) + 口(구)
2. 氵(수) + 同(동)
3. 金(금) + 同(동)
4. 月(월) + 同(동)
5. 한가지 同(동) + 물 氵(수)
6. 한가지 同(동) + 쇠 金(금)
7. 한가지 同(동) + 나무 木(목)
8. 한가지 同(동) + 肉(육)달 月(월)
9. ④   10. ①
11. ②

◆
1. 一(일) + 冂(경) + 土(토)
2. 冂(경) + 土(토)
3. 井(정) + 一(일) + 冉(염)
4. 木(목) + 冓(구)
5. 貝(패) + 冓(구)
6. 氵(수) + 冓(구)
7. 禾(화) + 爪(조) + 冉(염)
8. 言(언) + 冓(구)
9. 엮어 짤 冓(구) + 나무 木(목)
10. 엮어 짤 冓(구) + 물 氵(수)
11. 엮어 짤 冓(구) + 조개 貝(패)
12. ③   13. ③
14. ②

1. 王(왕)玉(옥)의 변형) + 田(전) + 土(토)
2. 田(전) + 土(토)　　　　3. 里(리) + 子(여)
4. 土(토) + 里(리)　　　　5. 米(미) + 量(량)
6. 千(천) + 里(리) = 亻(인) + 東(동)
7. 口(단) + 里(리)　　　　8. 衣(의) + 里(리)
9. 마을 里(리) + 구슬 玉(옥)
10. 마을 里(리) + 옷 衣(의)
11. 나 子(여) + 마을 里(리)
12. 헤아릴 量(량) + 쌀 米(미)
13. 아이 童(동) + 마음 忄(심)
14. ③　　　　　　　　15. ③
16. ①　　　　　　　　17. ④
18. ②　　　　　　　　19. ②
20. ④　　　　　　　　21. ① – 食糧(식량)
22. ④

1. 千(천) + 里(리) = 亻(인) + 東(동)
2. 重(중) + 力(력)
3. 동녘 東(동) + 두 글자 모두
4. 무거울 重(중) + 사거리 行(행)
5. 무거울 重(중) + 힘 力(력)
6. 무거울 重(중) + 벼 禾(화)
7. ①　　　　　　　　8. ③

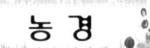

삶　　　　농경

1. ③　　　　　　　　2. ③
3. ③

1. 土(토) + 旦(단) + 勿(물)
2. 土(토) + 或(혹)
3. 土(토) + 竟(경)
4. 阝(부) + 坴(륙)
5. 적을/흩을 匀(균) + 흙 土(토)
6. 굳을 간(臣+又) + 흙 土(토)
7. 볕 昜(양) + 흙 土(토)

8. 오히려 尚(상) + 흙 土(토)
9. 혹시 或(혹) + 두 글자 모두
10. 다할 竟(경) + 흙 土(토)
11. 언덕 坴(륙) + 두 글자 모두
12. ③　　　　　　　13. ③ – 堅固(견고)
14. ③　　　　　　　15. ②
16. ②

1. 귀신 鬼(귀) + 흙 土(토)
2. 품을 褱(회) + 흙 土(토)
3. 도울 襄(양) + 흙 土(토)
4. 일찍 曾(증) + 흙 土(토)
5. 그 其(기) + 흙 土(토)
6. 검을 黑(흑) + 흙 土(토)
7. 이룰 成(성) + 흙 土(토)
8. 임금 辟(벽) + 흙 土(토)
9. 합할 合(합) + 글자 모두
10. 옳을 是(시) + 흙 土(토)
11. 도랑 涂(도) + 흙 土(토)
12. 믿음/도타울 亶(단) + 흙 土(토)
13. 클 賁(분) + 흙 土(토)
14. 없을/저물 莫(막/모) + 흙 土(토)
15. ④　　　　　　　16. ②
17. ③　　　　　　　18. ④
19. ①　　　　　　　20. ①
21. ② – 堤防(제방)　　22. ③ – 墳墓(분묘)

1. 氵(수) + 厂(엄) + 圭(규)
2. 山(산) + 厓(애)　　　3. 厂(엄) + 圭(규)
4. 土(토) + 土(토)　　　5. 亻(인) + 圭(규)
6. 行(행) + 圭(규)
7. 홀 圭(규) + 큰 大(대)
8. 홀 圭(규) + 돌 石(석)
9. 홀 圭(규) + 사람 亻(인)
10. 홀 圭(규) + 사거리 行(행)
11. 언덕 厓(애) + 뫼 山(산)
12. 언덕 厓(애) + 물 氵(수)
13. ④　　　　　　　14. ③
15. ④　　　　　　　16. ③ – 開封(개봉)
17. ③

1. 堇(근) + 力(력)
2. 堇(근) + 隹(추)
3. 노란진흙 堇(근) + 힘 力(력)
4. 노란진흙 堇(근) + 말씀 言(언)
5. 노란진흙 堇(근) + 밥 食(식)

6. 노란진흙 堇(근) + 사람 亻(인)
7. 노란진흙 堇(근) + 돌아볼 艮(간)
8. 노란진흙 堇(근) + 새 隹(추)
9. 노란진흙 堇(근) + 하품 欠(흠)
10. ③   11. ③
12. ④   13. ④
14. ②
15. ① − 歎聲(탄성)/歎息(탄식)

58강 − 밭 田(전) ································ 376

1. 聿(율) + 田(전) + 凵(감)
2. 釆(변) + 田(전)   3. 田(전) + 介(개)
4. 田(전) + 各(각)   5. 水(수) + 田(전)
6. 尙(상) + 田(전)
7. 분별할 釆(변) + 두 글자 모두
8. 오히려 尙(상) + 밭 田(전)
9. 각각 各(각) + 밭 田(전)
10. ④
11. ② − 卑怯(비겁)/勇氣(용기)
12. ③   13. ③
14. ③

1. 말미암을 由(유) + 무릅쓸 冒(모)의 윗부분
2. 말미암을 由(유) + 물 氵(수)
3. 말미암을 由(유) + 손 扌(수)
4. 말미암을 由(유) + 옷 衣(의)
5. 말미암을 由(유) + 집 宀(면)
6. ④
7. ③
8. 문제 오류
9. ④ − 佳作(가작)/佳人(가인)

1. 艹(초) + 玄(현) + 田(전)
2. 玄(현) + 田(전)   3. 田(전) + 共(공)
4. 羽(우) + 異(이)   5. 卯(묘) + 田(전)
6. 幺(요) + 지킬 戌(수)   7. 田(전) + 밑 부분
8. 불(丿+田) + 儿(인) + 厶(사)
9. 다를 異(이) + 깃 羽(우)
10. 쌓을 畜(축) + 풀 艹(초)
11. 넷째 지지 卯(묘) + 두 글자 모두
12. ③
13. ③ − 他人(타인)
14. ① − 退去(퇴거)
15. ④ − 未畢(미필)/軍畢(군필)

1. 卯(묘) + 金(금) + 刂(도)
2. 卯(묘) + 田(전)
3. 卯(묘) + 貝(패)
4. 人(인) + 卩(절)
5. 넷째 지지 卯(묘) + 나무 木(목)
6. 넷째 지지 卯(묘) + 두 글자 모두
7. 넷째 지지 卯(묘) + 조개 貝(패)
8. 넷째 지지 卯(묘) + 칼 刂(도)
9. ②   10. ①
11. ③

1. 첫째 천간 甲(갑) + 손 扌(수)
2. 첫째 천간 甲(갑) + 새 鳥(조)
3. 첫째 천간 甲(갑) + 개 犭(견)
4. ③   5. ③ − 制壓(제압)

1. 두루 周(주) + 두 글자 모두
2. 두루 周(주) + 두 글자 모두
3. ③   4. ①

59강 − 불 火(화) ································ 382

1. 炎(염) + 宀(면) + 木(목)
2. 등불 熒(형)의 획줄임 + 呂(려)
3. 炎(염) + 宀(면) + 虫(충)
4. 言(언) + 炎(염)
5. 氵(수) + 炎(염)
6. 등불 熒(형)의 획줄임 + 力(력)
7. 불탈 炎(염) + 물 氵(수)
8. 불탈 炎(염) + 말씀 言(언)
9. ③   10. ③
11. ② − 榮華(영화)   12. ③

1. 氵(수) + 戌(술) + 火(화)
2. 禾(화) + 火(화)
3. 巛(천) + 禾(화)
4. 土(토−大(대)의 변형) + 火(화)의 변형
5. 山(산) + 厂(엄) + 火(화)
6. 火(화) + 然(연)
7. 4번과 동일
8. 赤(적) + 赤(적)
9. 火(화) + 日(일) + 共(공) + 水(수)
10. 林(림) + 火(화)
11. 火(화) + 土(토) + 兀(올)

1. 그러할 然(연) + 불 火(화)

2. 높을 堯(요) + 불 火(화)

3. 사나울 暴(폭) + 두 글자 모두

4. ④   5. ①

6. ④   7. ④

8. ①

---

1. 火(화) + 品(품) + 木(목)

2. 火(화) + 番(번)

3. 火(화) + 盧(로)

4. 手(수) + 火(화)

5. 밥 그릇 盧(로) + 두 글자 모두

6. 새 떼지어 소(品+木) + 불 火(화)

7. 기세 勢(세) + 불 灬(화)

8. ③   9. ② – 乾燥(건조)

10. ③

---

1. 艹(초) + 丞(승) + 灬(화)

2. 亨(형) + 灬(화)

3. 執(집) + 灬(화)

4. 隹(추) + 灬(화)

1. 잡을 執(집) + 불 灬(화)

2. 형통할 亨(형) + 불 灬(화)

3. 김 오를 烝(증) + 풀 艹(초)

4. 놈 者(자) + 불 灬(화)

5. 새 隹(추) + 불 灬(화)

6. ③   7. ③

---

1. 구덩이 함(人+臼) + 불 火(화) – 氣焰(기염)

2. 막을/아궁이 垔(인) + 불 火(화)

3. ④   4. ④

5. ④

---

1. 火(화) + 目(목) + 勹(포) + 虫(충)

2. 昭(소) + 灬(화)

3. 火(화) + 儿(인)

4. 列(렬) + 灬(화)

5. 즐거울 이(臣+巳) + 불 灬(화)

6. 빛날 奐(환) + 불 火(화)

7. 벌레/나라 이름 蜀(촉) + 불 火(화)

8. 밝을 昭(소) + 불 灬(화)

9. 줄/벌릴 列(렬) + 불 灬(화)

10. ②   11. ④

---

1. 주인 主(주) + 사람 亻(인)

2. 주인 主(주) + 나무 木(목)

3. 주인 主(주) + 물 氵(수)

4. 주인 主(주) + 말 馬(마)

5. 주인 主(주) + 말씀 言(언)

6. ③

7. ②

8. ② – 滯留(체류)/駐在(주재)

---

1. 火(화—木(목) + 炅(경) + 辶(착)

2. 亻(인) + 불 놓을 료

3. 疒(녁) + 불 놓을 료

4. 目(목) + 불 놓을 료

5. 불 놓을 료(火+炅) + 사람 亻(인)

6. 불 놓을 료(火+炅) + 갈 辶(착)

7. 불 놓을 료(火+炅) + 병 들어 기댈 疒(역)

8. 불 놓을 료(火+炅) + 눈 目(목)

9. ④

10. ③ – 同僚(동료)

11. ①

---

1. 朕(짐) + 力(력)

2. 月(월) + 火(화) + 廾(공)

3. 辶(착) + 火(화) + 廾(공)

4. 艹(초) + 물 솟아오를 滕(등)

5. ③   6. ①

7. ②

---

1. 艹(초) + 北(북) + 口(구) + 灬(화)

2. 白(백) + 舄(석)의 아랫부분

3. 白(백)의 획 줄임 + 舄(석)의 아랫부분

4. 몸통 + 灬(화) – 네 다리

5. 몸통 + 灬(화) – 지느러미

6. 몸통 + 灬(화) – 현란한 발의 움직임

7. 차지할 占(점) + 검을 黑(흑)

8. ③   9. ③

10. ③   11. ②

---

1. 정자 亭(정) + 사람 亻(인)

2. 넷째 천간 丁(정) + 머리 頁(혈)

3. 넷째 천간 丁(정) + 말씀 言(언)

4. 넷째 천간 丁(정) + 쇠 金(금)

5. 쌓을 宁(저) + 조개 貝(패)

6. ④   7. ①

---

1. 糸(사) + 且(차)

2. 禾(화) + 且(차)

3. 示(시) + 且(차)
4. 且(차) + 力(력)
5. 米(미) + 且(차)
6. 木(목) + 且(차)
7. 鼎(정)의 변형(且(차) + 廾(공)
8. ③ - 租稅(조세)　　　9. ④

1. 犭(견) + 且(차)
2. 氵(수) + 且(차)
3. 言(언) + 且(차)
4. ②　　　　　　　　5. ④

1. 형태를 나눠보라
2. 亞(아) + 心(심)
3. 二(이) + 乂(예)
4. 口(구) + 亞(아)
5. 버금 亞(아) + 입 口(구)
6. ②　　　　　　　　7. ②

1. 言(언) + 大(대) + 亐(우)
2. 大(대) + 亐(우)
3. 二(이) + 丿(궐)의 변형
4. 氵(수) + 갈 亐(우)의 변형
5. 二(이) + 厶(사)
6. 雨(우) + 云(운)
7. 云(운) + 鬼(귀)
8. 辶(착) + 갈 亐(우)
9. 宀(면) + 于(우)
10. 二(이) + 丿(궐)
11. 갈 亐(우) + 갈 辶(착)
12. 갈 于(우) + 집 宀(면)
13. 자랑할 夸(과) + 말씀 言(언)
14. 이를 云(운) + 비 雨(우)
15. ③　　　　　　　　16. ①

1. 亻(인) + 牛(우) + 丨(곤)
2. 半(반) + 刂(도)
3. 牛(우) + 丨(곤)
4. 半(반) + 反(반)
5. 八(팔) + 刀(도)
6. 八(팔) + 厶(사)
7. 반 半(반) + 두 글자 모두
8. 반 半(반) + 되돌릴 反(반)
9. 답 없음 - 답은 공변될 公(공)

10. ④

1. 言(언) + 八(팔) + 厶(사)
2. 言(언) + 甬(용)
3. 木(목) + 公(공)
4. 八(팔) + 厶(사)
5. 공변될 公(공) + 두 글자 모두
6. 공변될 公(공) + 두 글자 모두
7. 길 甬(용) + 말씀 言(언)
8. 공변될 公(공) + 깃 羽(우)
9. ① - 稱頌(칭송)
10. ②

1. 八(팔) + 刀(도) + 心(심)
2. 糸(사) + 分(분)
3. 分(분) + 皿(명)
4. 分(분) + 貝(패)
5. 나눌 分(분) + 두 글자 모두
6. 나눌 分(분) + 그릇 皿(명)
7. 나눌 分(분) + 두 글자 모두
8. ②　　　　　　　　9. ④

1. 方(방) + 人(인) + 其(기)
2. 其(기) + 土(토)
3. 其(기) + 月(월)
4. 분해불가하나 且(차)변형 + 八(팔)로
5. 그 其(기) + 달 月(월)
6. 그 其(기) + 깃발 언(方+人)
7. 그 其(기) + 나무 木(목)
8. 그 其(기) + 사슴 鹿(록)
9. 7번과 동일
10. ③　　　　　　　　11. ①

1. 十(십) + 甫(보) + 寸(촌)
2. 言(언) + 午(오)
3. 丿(별) + 干(간)
4. 人(인) + 十(십)
5. 日(일) + 升(승)
6. 十(십) + 劦(협)
7. 十(십) + 尃(부)
8. 宀(면) + 千(천)
9. 丿(별) + 十(십)
10. 一(일) + 丨(곤)
11. 되 升(승) + 두 글자 모두

12. ③　　　　　　　　　　　　13. ③

1. 亠(두) + 人(인) + 十(십)
2. 犭(견) + 卒(졸)
3. 卜(복) + 무(조)
4. 十(십) + 廾(공)
5. 군사 卒(졸) + 개 犭(견)
6. ②
7. 답 없음 – 정답은 달릴 奔(분)

1. 女(여) + 귀신 머리 불의 변형 + 十(십)
2. 片(편) + 卑(비)
3. 石(석) + 卑(비)
4. 귀신 머리 불의 변형 + 十(십)
5. 귀신 머리 불 + 儿(인) + ム(사)
6. 魔(마) + 鬼(귀)
7. 낮을 卑(비) + 두 글자 모두
8. 낮을 卑(비) + 병들어 기댈 疒(역)
9. 낮을 卑(비) + 돌 石(석)
10. ②　　　　　　　　　　　11. ①

1. 广(엄) + 廿(입) + 又(우)
2. 氵(수) + 度(도)
3. 庶(서)의 획줄임 + 巾(건)
4. 廿(입) + 寅(인)에서 宀(면) 빼고
5. 법도 度(도) + 물 氵(수)
6. ③　　　　　　　　　7. ④

63강 – 삐침 丿(별) ········· 408

1. 丿(별) + 一(일) + 冫
2. 亻(인) + 乍(사)
3. 日(일) + 乍(사)
4. 言(언) + 乍(사)
5. 잠깐 乍(사) + 말씀 言(언)
6. ③

1. 人(인) + 丿(별) + 火(화)
2. 人(인) + 丿(별)
3. 丿(별) + 乙(을)
4. 丿(별) + 之(지)
5. 艹(초) + 之(지)
6. 丿(별) + 글자의 오른편
7. 千(천) + 北(북) = 어그러질 乖(괴)
8. 禾(화) + 北(북)
9. 오랠 久(구) + 두 글자 모두

10. 갈 之(지) + 풀 艹(초)
11. ③　　　　　　　　　　12. ③

1. 馬(마) + 丶(주) + 王(왕)
2. 言(언) + 主(주)
3. 亻(인) + 主(주)
4. 丶(주) + 王(왕)
5. 주인 主(주) + 사람 亻(인)
6. 주인 主(주) + 물 氵(수)
7. 주인 主(주) + 나무 木(목)
8. 주인 主(주) + 말 馬(마)
9. 주인 主(주) + 말씀 言(언)
10. ④　　　　　　　　　　11. ③

1. 奎(륙) + 丸(환) + 灬(화)
2. 奎(륙) + 丸(환) – 심을 埶(예)
3. 幸(행) + 丸(환)
4. 심을 藝(예) + 云(운)
5. 井(정) + 丶(주)
6. 丶(주) + 九(구)
7. 심을 藝(예) + 글자 모두
8. ②　　　　　　　　　　9. ①

64강 – 뚫을 丨(곤) ········· 413

1. 中(중) + 一(일) + 貝(패)
2. 串(곶) + 心(심) – 患者(환자)
3. 中(중) + 心(심)
4. 口(구) + 丨(곤)
5. 가운데 中(중) + 사람 亻(인)
6. ②　　　　　　　　　7. ④

65강 – 작을 小(소) ········· 414

1. 氵(수) + 小(소) + 丿(별)
2. 小(소) + 丿(별)
3. 少(소) + 目(목)
4. 石(석) + 少(소)
5. 少(소) + 力(력)
6. 禾(화) + 少(소)
7. 女(녀) + 少(소)
8. 小(소) + 大(대)
9. 작을 小(소) + 글자 모두
10. ② – 妙齡(묘령)/妙技(묘기)
11. ② – 分秒(분초)

자연

동물

1. 木(목) + 양 羊(양) + 永(영)
2. 魚(어) + 양 羊(양)
3. 양 羊(양) + 食(식)
4. 양 羊(양) + 目(목)
5. 양 羊(양) + 침 연 (氵+欠)
6. 言(언) + 양 羊(양)
7. 6번과 동일
8. 양 羊(양) + 소 丑(축)
9. 양 羊(양) + 물 氵(수)
10. 임금 君(군) + 양 羊(양)
11. 양 羊(양) + 밥 食(식)
12. 물 근원 길(강이 길)羨(양) + 나무 木(목)
13. 양 羊(양) + 제단 礻(시)
14. 양 羊(양) + 말씀 言(언)
15. 침 연 (氵+欠) + 양 羊(양)
16. ③   17. ① 海洋(해양)
18. ③   19. ③ 養育(양육)
20. ③
21. ③
22. ③ 形狀(형상)/模樣(모양)/偶像(우상)
23. ③ 鮮明(선명)/新鮮(신선)

◆ ──────────────────────────── ◆

1. 양 羊(양) + ++(초) + 口(구)
2. 糸(사) + 善(선)
3. 月(월) + 善(선)
4. 양 羊(양) + 大(대)
5. 착할 善(선) + 肉(육)달 月(월)
6. 착할 善(선) + 실 糸(사)
7. ③
8. ③
9. ①
10. ③ 佳景(가경)/美談(미담)/鮮明(선명)
11. ①

1. 虎(호) + 鬲(격/력) + 개 犬(견)
2. 厂(엄) + 厭(염)의 안쪽 부분
3. 亻(인) + 개 犬(견)

4. 싫을 厭(염) + 土(토)
5. ①
6. ③
7. ④ ─ 獻納(헌납)/貢獻(공헌)/收納(수납)
8. ②
9. ② ─ 突然(돌연)/猝地(졸지)
10. ① ─ 厭症(염증)

◆ ──────────────────────────── ◆

1. 犭(견) + 言(언) + 개 犬(견)
2. 犭(견) + 巳(절)
3. 犭(견) + 蜀(촉)
4. 犭(견) + 王(왕)
5. 벌레 蜀(촉) + 개 犭(견)
6. 사람 巳(절) + 개 犭(견)
7. 임금 王(왕) + 개 犭(견)
8. 지킬 守(수) + 개 犭(견)
9. 맏 孟(맹) + 개 犭(견)
10. 술병 酉(유) + 개 犭(견)
11. 뼈 骨(골) + 개 犭(견)
12. ② 孤獨(고독)
13. ② 狩獵(수렵)
14. ③ 獲得(획득)

1. 八(팔) + 돼지 豕(시) + 辶(착)
2. 阝(부) + 수(八+豕)
3. 돼지 豕(시) + 辶(착)
4. 隊(대) + 土(토)
5. 宀(면) + 豕(시)
6. 肉(육)달 月(월) + 돼지 豕(시)
7. 덮어쓸/어두울 冡(몽) + 풀 ++(초)
8. 입다/덮다 蒙(몽) + 달 月(월) ─ 朦朧(몽롱)
9. 높을 高(고)의 생략형 + 돼지 豕(시)
10. ③ ─ 無知蒙昧(무지몽매)
11. ① ─ 軍隊(군대)/群衆(군중)
12. ③ ─ 墜落(추락)

◆ ──────────────────────────── ◆

1. 虍(호) + 돼지 豕(시) + 刂(도)
2. 亻(인) + 象(상)
3. 扌(수) + 거(虍+豕)
4. 予(여) + 象(상)
5. 코끼리 象(상) + 사람 亻(인)
6. 나 予(여) + 코끼리 象(상)
7. 나 予(여) + 머리 頁(혈)
8. ④

9. ③ – 偶像(우상)/形狀(형상)
10. ③
11. ②

1. 玄(현) + 宀(멱) + 소 牛(우)
2. 亻(인) + 소 牛(우)
3. 소 牛(우) + 攵(복)
4. 소 牛(우) + 寺(사)
5. 八(팔) + 소 牛(우)
6. 소 牛(우) + 勿(물)
7. 말 勿(물) + 소 牛(우)
8. 검을 玄(현) + 소 牛(우)
9. ③
10. ① 報告(보고)
11. ①
12. ③ 牽引(견인)

1. 氵(수) + 소 牛(우) + 儿(인)
2. 소 牛(우) + 儿(인)
3. 나아갈 兟(신) + 貝(패)
4. 言(언) + 贊(찬)
5. 먼저 先(선) + 물 氵(수)
6. 나아갈 兟(신) + 조개 貝(패)
7. 도울 贊(찬) + 말씀 言(언)
8. ②   9. ④
10. ③   11. ② 讚頌(찬송)

1. 알릴 告(고) + 물 氵(수)
2. 알릴 告(고) + 해 日(일)
3. 알릴 告(고) + 갈 辶(착)
4. 알릴 告(고) + 술 酉(유)
5. ③   6. ④
7. ①   8. ③ 創造(창조)

1. 月(월) + 朕(짐)의 우측 + 말 馬(마)
2. 말 馬(마) + 主(주)
3. 말 馬(마) + 僉(첨)
4. 말 馬(마) + 엿볼 睪(역)
5. 다 僉(첨) + 말 馬(마)
6. 주인 主(주) + 말 馬(마)
7. 엿볼 睪(역) + 말 馬(마)
8. 나 朕(짐) + 말 馬(마)

9. 기이할 奇(기) + 말 馬(마)
10. 지경 區(구) + 말 馬(마)
11. ④
12. ① 滯留(체류)/駐在(주재)
13. ③ 敦篤(돈독)/獨立(독립)/毒蛇(독사)/禿山(독산)

1. 말 馬(마) + 叉(차) + 虫(충)
2. 扌(수) + 벼룩 蚤(조)
3. 叉(차) + 虫(충)
4. 又(우) + 丶(주)
5. 벼룩 蚤(조) + 손 扌(수)
6. 벼룩 蚤(조) + 말 馬(마)
7. 높을 喬(교) + 말 馬(마)
8. 공경할 敬(경) + 말 馬(마)
9. ④   10. ③
11. ③

1. (一+冂+丶) + 사슴 鹿(록)
2. 사슴 鹿(록) + 흙 土(토)
3. 广(엄) + 몸통 + 比(비)
4. 鹿(록)의 생략형 + 馬(언)의 생략형
5. 鹿(록) + 갈고리 亅(궐) + 心(심) + 夂(치)
6. ++(초) + 해태/법 廌(치)
7. 厶(사) + 月(월) + 比(비)
8. ④
9. ③ 醜女(추녀)
10. ④ 나머지는 다 '상상의 동물'

1. 辶(착) + 厂(엄) + 범 虎(호)
2. 범 虎(호) + 언덕 丘(구)의 변형
3. 虍(호) + 儿(인)
4. 범 虎(호) + 思(사)
5. 범 虎(호) + 鬲(격/력) + 犬(견)
6. 범 虎(호) + 處(처)의 아랫부분만
7. 火(화) + 밥 그릇 盧(로)
8. 범 虎(호) + 田(전) + 皿(명)
9. 1번과 동일
10. 범 虎(호) + 冊(관) + 力(력)
11. 범 虎(호) + 爪(조) + 人(인–생략됨)
12. 범 虎(호) + 文(문)
13. 범 虎(호) + 부를 号(호)
14. 범 虎(호) + 언덕 丘(구)의 생략형

15. 處(처)의 아랫부분 + 범 虍(호)
16. 범 虍(호) + (厂+辶)
17. 범 虍(호) + 思(사) – 思慮(사려)
18. 범 虍(호) + (冊+力)
19. 밥 그릇 盧(로) + 불 火(화)
20. 범 虍(호) + 그릇 皿(명)
21. ③   22. ①
23. ③   24. ③
25. ③   26. ③

8강 – 부산물 ································· 81

1. 止(지) + 口(구) + 止(지)
2. 亻(인) + 다룸가죽 韋(위)
3. 行(행) + 다룸가죽 韋(위)
4. 朝(조)의 좌편 + 다룸가죽 韋(위)
5. 다룸가죽 韋(위) + 辶(착)
6. 口(국) + 다룸가죽 韋(위)
7. 다룸가죽 韋(위) + 亻(인) – 偉人(위인)
8. 다룸가죽 韋(위) + 사거리 行(행) – 衛兵(위병)
9. 다룸가죽 韋(위) + 갈 辶(착)
10. 다룸가죽 韋(위) + 나라/에울 囗(국/위)
11. ③
12. ③ 나머지는 다 '지키다'는 '방어의 의미'

1. ++(초) + 厶(사) + 珍(진)의 오른편
2. 忄(심) + 석/간여할 參(삼/참)
3. 厶(사) + 珍(진)의 오른편
4. 터럭 彡(삼) + 頁(혈)
5. (厶*3) + 珍(진)의 오른편 머리 검을 진
6. 석 參(삼) + 풀 ++(초)
7. 간여할 參(참) + 마음 忄(심) – 慘酷(참혹)
8. ③
9. ③

1. 爪(조) + 木(목) + 彡(삼)
2. 景(경) + 터럭 彡(삼)
3. 井(정)의 변형 + 터럭 彡(삼)
4. 두루 周(주) + 터럭 彡(삼)
5. 글 章(장) + 터럭 彡(삼)
6. 캐다/따다 采(채) + 터럭 彡(삼)
7. 두루 周(주) + 터럭 彡(삼)
8. 평평할 幵(견) + 터럭 彡(삼)
9. 선비 彦(언) + 머리 頁(혈)
10. 볕 景(경) + 터럭 彡(삼)
11. ② 彫刻(조각)

12. ③ 形狀(형상)
14. ③

1. 言(언) + 羽(우) + 珍(진)의 우편
2. 月(월) + 높이 날 翏(료)
3. 言(언) + 숱 많을 진(人+彡)
4. 羽(우) + 숱 많을 진(人+彡)
5. 숱 많을 진(人+彡) + 구슬 玉(옥)
6. 숱 많을 진(人+彡) + 말씀 言(언)
7. 높이 날 翏(료) + 말씀 言(언)
8. 높이 날 翏(료) + 月(월) – 阿膠(아교)
9. 높이 날 翏(료) + 창 戈(과) – 殺戮(살륙)
10. ④
11. ③
12. ④ 誤診(오진)/誤謬(오류)
13. ③

1. 長(장) + 彡(삼)
2. 髟(표) + 犮(발)
3. 髟(표) + 須(수)
4. 髟(표) + 冉(염)의 변형
5. 모름지기/수염 須(수) + 머리털 늘어질 髟(표)
6. 冉(염)의 변형 + 머리털 늘어질 髟(표)
7. ④
8. ④

1. 높을 高(고) + 털 毛(모)
2. 털 毛(모) + 주검 尸(시)
3. ③

1. 彳(척) + 가죽 皮(피)
2. 衤(의) + 가죽 皮(피)
3. 疒(녁) + 가죽 皮(피)
4. 가죽 皮(피) + 물 氵(수)
5. 가죽 皮(피) + 옷 衤(의)
6. 가죽 皮(피) + 병들어 기댈 疒(녁)
7. 가죽 皮(피) + 걸을 彳(척)
8. 가죽 皮(피) + 머리 頁(혈) – 偏頗(편파)
9. 가죽 皮(피) + 물 氵(수)
10. 가죽 皮(피) + 돌 石(석)
11. 물결 波(파) + 계집 女(여) – 老婆(노파)
12. ③ – 皮革(피혁)   13. ④
14. ③   15. ④

1. 亠(두) + 凶(흉) + 짐승발자국 内(유) + 隹(추)
2. 禹(우) + 辶(착)

3. 쇠(금) + 凶(흉) + 짐승발자국 內(유)
4. 宀(면) + 禹(우)
5. 꼬리 긴 원숭이 禹(우) + 갈 辶(착)
6. 꼬리 긴 원숭이 禹(우) + 마음 心(심)
7. 꼬리 긴 원숭이 禹(우) + 집 宀(면)
8. 꼬리 긴 원숭이 禹(우) + 사람 亻(인)
9. 꼬리 긴 원숭이 禹(우) + 언덕 阝(부)
10. 맹수/떠날 离(리) + 새 隹(추)
11. 이제 今(금) + 맹수/떠날 离(리)
12. ③   13. ②
14. ①   15. ②
16. ③   17. ②

1. 뿔 角(각) + 刀(도) + 牛(우)
2. 뿔 角(각) + 벌레 蜀(촉)
3. 풀 解(해) + 갈 辶(착)
4. 뿔 角(각) + 상처 傷(상)의 우편
5. 풀 解(해) + 갈 辶(착)
6. 뿔 角(각) + 벌레 蜀(촉)
7. 상처 傷(상) + 뿔 角(각)
8. ③ 核武器(핵무기)
9. ③
10. ①

9강 – 肉(육)달 月(월) ·············· 90

1. 관청 府(부) + 고기 肉(육)
2. ②

5. 이를 詹(첨) + 눈 目(목) – 瞻星臺(첨성대)
6. 이를 詹(첨) + 손 扌(수) – 擔當(담당)
7. 이를 詹(첨) + 肉(육)달 月(월) – 膽力(담력)
8. ③
9. ④
10. ③ – 負擔(부담)

1. 肉(육)달 月(월) + 착할 臧(장) + 艹(초)
2. 肉(육)달 月(월) + 昜(양)
3. 肉(육)달 月(월) + 府(부)
4. 肉(육)달 月(월) + 巛(천) + 囟(신)
5. 肉(육)달 月(월) + 匈(흉)
6. 肉(육)달 月(월) + 却(각)
7. 肉(육)달 月(월) + 田(전)
8. 肉(육)달 月(월) + 支(지)
9. 감출 臧(장) + 肉(육)달 月(월)
10. 관청 府(부) + 肉(육)달 月(월)

11. 가를/가지 支(지) + 肉(육)달 月(월)
12. 힘 力(력) + 肉(육)달 月(월)
13. 방패 干(간) + 肉(육)달 月(월)
14. 배반할/달아날 北(배) + 肉(육)달 月(월)
15. 오랑캐 匈(흉) + 肉(육)달 月(월)
16. 신하 臣(신) + 굳을 간(臣+又) + 肉(육)달 月(월)
17. 이를 詹(첨) + 肉(육)달 月(월)
18. 굽을 宛(완) + 肉(육)달 月(월)
19. 볕 昜(양) + 肉(육)달 月(월)
20. 물리칠 却(각) + 肉(육)달 月(월)
21. 다시/돌아올 复(복) + 肉(육)달 月(월)
22. 바랄 要(요) + 肉(육)달 月(월)
23. 범의 무늬 虍(호) + 肉(육)달 月(월)
24. ② – 四肢(사지)가 멀쩡
25. ③   26. ③
27. ②   28. ①
29. ②   30. ③
31. ②   32. ③
33. ③

1. 肉(육)달 月(월) + 厶(사) + 口(구)
2. 肉(육)달 月(월) + 巴(파)
3. 肉(육)달 月(월) + 小(소)
4. 肉(육)달 月(월) + 기를 育(육)의 윗 부분
5. 태아 台(태) + 肉(육)달 月(월)
6. 큰 뱀 巴(파) + 肉(육)달 月(월)
7. 기쁠 兌(태) + 肉(육)달 月(월)
8. 북소리 彭(팽) + 肉(육)달 月(월)
9. ④   10. ①
11. ①   12. ③ – 養育(양육)

10강 – 고슴도치 머리 彑/⺕/크(계) ·············· 95

1. 糸(사) + 고슴도치 머리 彑(계) + 氺(수)
2. 金(금) + 나무 깎을 彔(록)
3. 示(시) + 나무 깎을 彔(록)
4. 糸(사) + 彖(단)
5. 답 없음
6. 고슴도치 머리 彑(계) + 氺(수)
7. 나무 깎을 彔(록) + 칼 刂(도)
8. 나무 깎을 彔(록) + 실 糸(사)
9. 나무 깎을 彔(록) + 쇠 金(금)
10. 나무 깎을 彔(록) + 제단 示(시)
11. ② – 剝皮(박피)
12. ① – 剝奪(박탈)/剝脫(박탈)
13. ③

14. ③ - 祿俸(녹봉)/福祿(복록)

1. ③   2. ③

1. 새 隹(추) + 새 隹(추) + 又(우)
2. 새 한 쌍 雔(수) + 言(언)
3. 새 隹(추) + 又(우)
4. 冫(빙) + 새 隹(추)
5. 氵(수) + 새 매 隼(준)
6. 4번과 동일
7. 새 隹(추) + 木(목)
8. 糸(사) + 새 隹(추)
9. 새 隹(추) + 입 口(구)
10. 오직 唯(유) + 벌레 虫(충)
11. 새 隹(추) + 말씀 言(언)
12. 새 隹(추) + 마음 忄(심)
13. 새 隹(추) + 실 糸(사)
14. 새 隹(추) + 손 扌(수)
15. 새매 隼(준) + 물 氵(수)
16. 새 한 쌍 雔(수) + 말씀 言(언)
17. ② - 推理(추리)
18. ③ - 思惟(사유)
19. ③
20. ② - 解散(해산)/集合(집합)
21. ① - 認准(인준)
22. ③ - 維新(유신)

1. 言(언) + 雈(추) + 又(우)
2. 날개 칠 순(大+隹) + 寸(촌)
3. 犭(견) + 雈(추) + 又(우)
4. 날개 칠 순(大+隹) + 밭 田(전)
5. 罒(망) + 糸(사) + 隹(추)
6. 辶(착) + 隹(추)
7. 牙(아) + 隹(추)
8. 此(차) + 隹(추)
9. 大(대) + 隹(추) + 田(전)
10. 팔꿈치 굉(宏)에서 집 宀(면)생략 + 隹(추)
11. 어금니 牙(아) + 새 隹(추)
12. 잴 약(雈+又) + 개 犭(견)
13. 잴 약(雈+又) + 벼 禾(화)
14. 이 此(차) + 새 隹(추)

15. 팔꿈치 굉 + 새 隹(추)
16. 산신 离(리) + 새 隹(추)
17. ①
18. ② - 保護(보호)
19. ③
20. ④

1. 戶(호) + 隹(추) + 頁(혈)
2. 堇(근) + 隹(추)
3. 戶(호) + 隹(추)
4. 禾(화) + 隹(추)
5. 품살 雇(고) + 머리 頁(혈)
6. 언덕/기슭 厂(엄) + 새 隹(추)
7. 매 鷹(응)의 줄임 + 마음 心(심)
8. 새 隹(추) + 벼 禾(화)
9. 모일 集(집) + 옷 衣(의)
10. ③
11. ①
12. ② - 幼稚(유치)
13. ③

1. ++(초) + 口(구) + 隹(추)
2. 황새 雚(관) + 欠(흠)
3. 雚(관) + 見(견)
4. 雚(관) + 力(력)
5. ++(초) + 隹(추)
6. 황새 雚(관) + 하품 欠(흠)
7. 황새 雚(관) + 볼 見(견)
8. 황새 雚(관) + 나무 木(목)
9. 황새 雚(관) + 힘 力(력)
10. ③
11. ③ - 新舊(신구)의 調和(조화)
12. ③
13. ④

1. 石(석) + 宀(멱) + 隹(추)
2. 새 높이 날 隺(확/학/각) + 새 鳥(조)
3. 山(산) + 隹(추)
4. 亻(인) + 崔(최)
5. 높을 崔(최) + 사람 亻(인)

1. 종 奚(해) + 새 鳥(조)
2. 江(강) + 새 鳥(조)
3. 높이 날 隺(확) + 새 鳥(조)

4. 口(구) + 새 鳥(조)
5. 나름대로 분해를 해 보세요
6. 새 鳥(조) + 뫼 山(산)
7. 臼(구) + 새 鳥(조)의 白(백) 생략한 부분
8. 正(정) + 새 鳥(조)의 白(백) 생략한 부분
9. 종 奚(해) + 새 鳥(조)
10. 높이 날 崔(확) + 새 鳥(조)
11. 강 江(강) + 새 鳥(조)

8. ノ(별) + 米(미)
9. 분별할 釆(변) + 밭 田(전)
10. 차례/갈마들 番(번) + 손 扌(수)
11. 차례/갈마들 番(번) + 불 火(화)
12. 차례/갈마들 番(번) + 날 飛(비)
13. 차례/갈마들 番(번) + 물 氵(수)
14. 소리 부분 없음 + 모두가 다 뜻 부분임

1. 日(일) + 羽(우) + 隹(추)
2. 羽(우) + 隹(추) - 꿩 翟(적)
3. 扌(수) + 꿩 翟(적)
4. 氵(수) + 꿩 翟(적)
5. 火(화) + 戶(호) + 羽(우)
6. 戶(호) + 羽(우)
7. 弓(궁) + 羽(우)
8. 氵(수) + 弱(약)
9. 羽(우) + 白(백)
10. 羽(우) + 立(립)
11. 약할 弱(약) + 물 氵(수)
12. 사립문/부채 扇(선) + 불 火(화)
13. 공변될 公(공) + 깃 羽(우)

1. 非(비) + 心(심)
2. 言(언) + 아닐 非(비)
3. 亻(인) + 아닐 非(비)
4. 갈 彳(척) + 아닐 非(비)
5. 아닐 非(비) + 車(거)
6. 罒(망) + 아닐 非(비)
7. 아닐 非(비) + 마음 心(심)
8. 아닐 非(비) + 말씀 言(언)
9. 아닐 非(비) + 갈 彳(척)
10. 아닐 非(비) + 수레 車(거)

1. 宀(면) + 釆(변) + 田(전)
2. 番(번) + 飛(비)
3. 釆(변) + 田(전) - 番地(번지)/番號(번호)
4. 火(화) + 番(번)
5. 宀(면) + 釆(변) + 大(대-廾(공)의 변형)
6. 扌(수) + 番(번)
7. 氵(수) + 番(번)

1. 爪(조) + 子(자) + 乙(을)의 변형
2. 다스릴 란 + 乙(을)의 변형
3. 子(자) + 乙(을)의 변형
4. 人(인) + 乙(을)

1. 方(방) + 人(인) + 음부 也(야)
2. 氵(수) + 음부 也(야)
3. 弓(궁) + 음부 也(야)
4. 土(토) + 음부 也(야)
5. 亻(인) + 음부 也(야)

1. 氵(수) + 九(구) + 木(목)
2. 車(거) + 九(구)
3. 穴(혈) + 九(구)
4. 九(구) + 丶(주)
5. 아홉 九(구) + 구멍 穴(혈)
6. 아홉 九(구) + 수레 車(거)

1. 犭(견) + 罒(망) + 勹(포) + 虫(충)
2. 火(화) + 벌레 蜀(촉)
3. 罒(망) + 勹(포) + 虫(충)
4. 角(각) + 벌레 蜀(촉)
5. 氵(수) + 벌레 蜀(촉)
6. 솥 력(鬲) + 벌레 虫(충)
7. 무릇 凡(범) + 벌레 虫(충)
8. 무소 犀(서)의 牛(우)생략 + 벌레 蜀(촉)
9. 벌레 蜀(촉) + 불 火(화) - 洞燭(통촉)
10. 벌레 蜀(촉) + 뿔 角(각) - 觸覺(촉각)
11. 벌레 蜀(촉) + 무소 犀(서) - 屬國(속국)
12. 벌레 蜀(촉) + 물 氵(수) - 濁酒(탁주)
13. 벌레 蜀(촉) + 개 犭(견) - 孤獨(고독)

1. 불꽃 炎(염) + 宀(면) + 虫(충)

2. 벌레 虫(충) + 夆(봉)
3. 밥 食(식) + 벌레 虫(충)
4. 벌레 虫(충) + 宀(면) + 匕(비)
5. 叉(차) + 丶(주) + 벌레 虫(충)
6. 馬(마) + 벼룩 蚤(조)
7. 벌레 虫(충) + 풀 艹(초) 생략된 입 葉(엽)
8. 벼룩 蚤(조) + 말 馬(마)
9. 만날 夆(봉) + 벌레 虫(충)
10. 잎사귀 葉(엽) + 벌레 虫(충)
11. 밥 食(식) + 벌레 虫(충)

1. 艹(초) + 魚(어) + 禾(화)
2. 물고기 魚(어) + 包(포)
3. 물고기 魚(어) + 羊(양)
4. 물고기 魚(어) + 京(경)
5. 물고기 魚(어) + 氵(수)
6. 각자 해 보세요
7. 물고기 魚(어) + 물 氵(수)
8. 물고기 魚(어) + 쌀 包(포)
9. 물고기 魚(어) + 높을/서울 京(경)

---

1. 言(언) + 士(사) + 買(매)
2. 皿(망) + 조개 貝(패)
3. 士(사) + 조개 貝(패)
4. 조개 貝(패) + 팔 賣(매)
5. 糸(사) + 士(사) + 買(매)

---

1. 任(임) + 조개 貝(패)
2. 代(대) + 조개 貝(패)
3. 化(화) + 조개 貝(패)
4. 分(분) + 조개 貝(패)
5. 맡길 任(임) + 조개 貝(패)
6. 대신할 代(대) + 조개 貝(패)
7. 될 化(화) + 조개 貝(패)
8. 아니 弗(불) + 조개 貝(패)
9. 장인 工(공) + 조개 貝(패)
10. 더할 加(가) + 조개 貝(패)
11. 버금 次(차) + 조개 貝(패)
12. 나눌 分(분) + 조개 貝(패)
13. 굳을 간(臣+又) + 조개 貝(패)
14. 이제 今(금) + 조개 貝(패)
15. 저수지 卯(묘) + 조개 貝(패)
16. 꿸 貫(관) + 마음 忄(심)

---

1. 亻(인) + 襾(아) + 조개 貝(패)
2. 襾(아) + 조개 貝(패)
3. 卜(복) + 조개 貝(패)
4. 人(인) + 조개 貝(패)
5. 貴(귀) + 辶(착)
6. 中(중) + 一(일) + 조개 貝(패)

---

1. 宀(면) + 玉(옥) + 缶(부) + 조개 貝(패)
2. 宀(면) + 冊(관) + 조개 貝(패)
3. 宀(면) + 止(지) + 조개 貝(패)

---

1. 꾸짖을 責(책) + 사람 亻(인)
2. 꾸짖을/맡을 責(책) + 벼 禾(화)
3. 꾸짖을/맡을 責(책) + 실 糸(사)
4. 꾸짖을/맡을 責(책) + 발 足(족)

---

1. 조개 貝(패) + 클 甫(보) + 손 寸(촌)
2. 조개 貝(패) + 攵(복)
3. 조개 貝(패) + 曾(증)
4. 조개 貝(패) + 宁(저)
5. 束(속) + 刀(도) + 조개 貝(패)
6. 조개 貝(패) + 武(무)
7. 조개 貝(패) + 戎(융)
8. 조개 貝(패) + 해칠/쌓일 戔(잔/전)
9. 조개 貝(패) + 칠 攵(복)
10. 쌓을 宁(저) + 조개 貝(패)
11. 되돌릴 反(반) + 조개 貝(패)
12. 굳셀 武(무) + 조개 貝(패)
13. 펼 尃(부) + 조개 貝(패)
14. 해칠/쌓일 戔(잔/전) + 조개 貝(패)
15. 거듭 曾(증) + 조개 貝(패)
16. 두 이의 고자(弍+二) + 조개 貝(패)

---

1. 口(구) + 卉(훼) + 조개 貝(패)
2. 忄(심) + 클 賁(분)
3. 土(토) + 클 賁(분)
4. 卉(훼) + 조개 貝(패)
5. 클 賁(분) + 입 口(구)
6. 클 賁(분) + 마음 忄(심)
7. 클 賁(분) + 흙 土(토)
8. 먼저/나아갈 兟(신) + 클 賁(분)
9. 도울 贊(찬) + 말씀 言(언)

1. 亻(인) + 조개 貝(패) + 刂(도)

2. 氵(수) + 則(칙)
3. 조개 貝(패) + 刂(도)
4. 조개 貝(패) + 攵(복)
5. 조개 貝(패) + 칠 攵(복)
6. 법칙 則(칙) + 사람 亻(인)
7. 법칙 則(칙) + 물 氵(수)

---

1. 亻(인) + 尙(상) + 조개 貝(패)
2. 尙(상) + 조개 貝(패)
3. 扌(수) + 員(원)
4. 囗(위) + 員(원)
5. 인원 員(원) + 에울 囗(위)
6. 인원 員(원) + 손 扌(수)
7. 숭상할 尙(상) + 조개 貝(패)
8. 상 줄 賞(상) + 사람 亻(인)

자 연
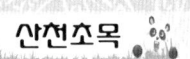
산천초목

1. 山(산) + 宀(면) + 示(시)
2. 山(산) + 獄(옥)
3. 山(산) + (厂+干)
4. 亻(인) + 山(산)
5. 山(산) + 厂(엄) + 圭(규)
6. 丘(구) + 山(산)
7. 灬(화)생략 鳥(조) + 山(산)
8. 山(산) + 隹(추)
9. 언덕 엄(厂+干) + 뫼 山(산)
10. 언덕 厓(애) + 뫼 山(산)
11. 옥 獄(옥) + 뫼 山(산)
12. 벗 朋(붕) + 뫼 山(산)
13. 마루 宗(종) + 뫼 山(산)
14. 새 隹(추) + 뫼 山(산)

---

1. 뫼 山(산) + 令(령) + 頁(혈)
2. 山(산) + 夾(협)
3. 山(산) + 支(지)
4. 山(산) + 갈 준(允+夂)
5. 山(산) + 절 寺(사)
6. 山(산) + 夆(봉)
7. 낄 夾(협) + 뫼 山(산)
8. 가를 支(지) + 뫼 山(산)

9. 옷깃 領(령) + 뫼 山(산)
10. 절 寺(사) + 뫼 山(산)
11. 갈 준(允+夂) + 뫼 山(산)
12. 끌 夆(봉) + 뫼 山(산)

---

1. 山(산) + 부르짖을 현(吅) + 厂(엄) + 敢(감)
2. 敢(감)의 우편 + 칠 攵(복)
3. 부르짖을 현(吅) + 厂(엄) + 敢(감)
4. 山(산) + 石(석)
5. 감히 敢(감) + 모든 글자
6. 감히 敢(감) + 부르짖을 현(吅) + 바위 厂(엄)
7. 엄할 嚴(엄) + 뫼 山(산)

---

1. 冂(경) + 卅(초) + 亡(망)
2. 糸(사) + 罔(망)
3. 罔(망) + 刂(도)
4. 金(금) + 罔(망)
5. 그물 罔(망) + 칼 刂(도)
6. 그물 罔(망) + 실 糸(사)
7. 그물 罔(망) + 쇠 金(금)

---

1. 谷(곡) + 欠(흠) + 心(심)
2. 宀(면) + 谷(곡)
3. 谷(곡) + 欠(흠)
4. 氵(수) + 容(용)
5. 八(팔) + 八(팔) + 口(구)
6. 亻(인) + 谷(곡)
7. 衤(의) + 谷(곡)
8. 金(금) + 容(용)
9. 군사 卒(졸) + 돌 石(석)
10. 가죽 皮(피) + 돌 石(석)
11. 쌀 包(포) + 돌 石(석)
12. 적을 少(소) + 돌 石(석)
13. 홀 圭(규) + 돌 石(석)
14. 닮을 肖(초) + 돌 石(석)
15. 흐를 流(류)의 우편 + 돌 石(석)
16. 이/검을 玆(자) + 돌 石(석)
17. 흰 白(백) + (구슬 玉(옥) +돌 石(석)

---

1. 삼 麻(마) + 돌 石(석)
2. 般(반) + 돌 石(석)
3. 石(석) + 卑(비)
4. 石(석) + 更(경)
5. 石(석) + 林(림) + 疋(소)
6. 石(석) + 見(견)
7. 石(석) + 幵(견)

8. 石(석) + 焦(초)

9. 돌 石(석) + 머리 頁(혈)

10. 돌 般(반) + 돌 石(석)

11. 그으릴 焦(초) + 돌 石(석)

12. 높이 날 隺(확) + 돌 石(석)

13. 다시 更(갱) + 돌 石(석)

14. 평평할 幵(견) + 돌 石(석)

15. 삼 麻(마) + 돌 石(석)

16. 모형 楚(초) + 돌 石(석)

17. 낮을 卑(비) + 돌 石(석)

---

1. 尸(시) + 口(구) + 辛(신) + 玉(옥)

2. 王(왕) + 丶(주)

3. 玉(옥) + 刂(도)

4. 玉(옥) + 머리 숱 많을 진(글자의 우편)

5. 玉(옥) + 山(산) + 而(이)

6. 玉(옥) + 見(견)

7. 玉(옥) + 눈 휘둥그럴/놀라서 볼 瞏(경)

8. 玉(옥) + 里(리)

9. 눈 휘둥그럴/놀라서 볼 瞏(경) + 辶(착)

10. 2번과 동일

11. 마을 里(리) + 구슬 玉(옥)

12. 머리 숱 많을 진(글자의 우편) + 구슬 玉(옥)

13. 눈 휘둥그럴/놀라서 볼 瞏(경) + 구슬 玉(옥)

14. 턱 밑 살 胡(호) + 구슬 玉(옥)

15. 임금 辟(벽) + 구슬 玉(옥)

16. 근원/으뜸 元(원) + 구슬 玉(옥)

17. 구슬 玉(옥) + 시초 耑(단)

---

1. 金(금) + 白(백) + 巾(건)

2. 金(금) + 艮(간)

3. 金(금) + 同(동)

4. 金(금) + 廣(광)

5. 한가지 同(동) + 쇠 金(금)

6. 클 철(哉+王) + 쇠 金(금)

7. 늪 연(글자의 우편) + 쇠 金(금)

8. 넓을 廣(광) + 쇠 金(금)

9. 그물 罔(망) + 쇠 金(금)

10. 쇠 金(금) + 비단 帛(백)

---

1. 金(금) + 夕(석) + 口(구)

2. 金(금) + 段(단)   3. 金(금) + 壽(수)

4. 金(금) + 柬(간)   5. 金(금) + 兌(태)

6. 金(금) + 屯(둔)

7. 목숨 壽(수) + 쇠 金(금)

8. 얼굴 容(용) + 쇠 金(금)

---

9. 구분 段(단) + 쇠 金(금)

10. 가릴 柬(간) + 쇠 金(금)

11. 닮을 肖(초) + 쇠 金(금)

12. 이름 名(명) + 쇠 金(금)

13. 나무 깎을 彔(록) + 쇠 金(금)

14. 법도 度(도) + 쇠 金(금)

15. 기쁠/바꿀 兌(태) + 쇠 金(금)

16. 옛날 昔(석) + 쇠 金(금)

17. 진칠 屯(둔) + 쇠 金(금)

18. 클 甫(보) + 쇠 金(금)

19. 참 眞(진) + 쇠 金(금)

---

1. 金(금) + 夂(인) + 聿(율)

2. 金(금) + 咸(함)

3. 金(금) + 充(충)

4. 金(금) + 童(동)

5. 金(금) + 臥(와) + 血(혈)

6. 金(금) + 쌓일/해칠 戔(전/잔)

7. 金(금) + 十(십)

8. 父(부) + 金(금)

9. 다 咸(함) + 쇠 金(금)

10. 구기 勺(작) + 쇠 金(금)

11. 쌓일/해칠 戔(전/잔) + 쇠 金(금)

12. 세울 建(건) + 쇠 金(금)

13. 다할 竟(경) + 쇠 金(금)

14. 아이 童(동) + 쇠 金(금)

15. 볼 監(감) + 쇠 金(금)

21강 - 장인 工(공)

1. 扌(수) + 穴(혈) + 工(공)

2. 月(월) + 空(공)

3. 穴(혈) + 工(공)

4. 工(공) + 貝(패)

5. 장인 工(공) + 구멍 穴(혈)

6. 빌 空(공) + 손 扌(수)

7. 장인 工(공) + 조개 貝(패)

8. 장인 工(공) + 힘 力(력)

9. 장인 工(공) + 칠 攵(복)

10. 품을 공(工+凡) + 마음 心(심)

---

1. 장인 工(공) + 실 糸(사)

2. 강 江(강) + 새 鳥(조)

3. 장인 工(공) + 肉(육)달 月(월)

4. 장인 工(공) + 머리 頁(혈)

5. 장인 工(공) + 장군 缶(부)

1. 장인 工(공) + 교묘할/재주 교
2. 손톱 爪(조) + 옛 古(고) + 또 又(우)
3. 법 式(식) + 손 扌(수)
4. 왼 左(좌) + 사람 亻(인)
5. 무당 巫(무) + 말씀 言(언)

1. 言(언) + 永(영)
2. 氵(수) + 흐를 비(글자의 오른편)
3. 氵(수) + 永(영)
4. 肉(육)달 月(월) + 흐를 비
5. 길 永(영) + 물 氵(수)
6. 길 永(영) + 말씀 言(언)
7. 물 氵(수) + 흐를 비
8. 肉(육)달 月(월) + 흐를 비

1. 물 氵(수) + 臥(와) + 血(혈)
2. 물 氵(수) + 夭(요)
3. 물 氵(수) + 共(공)
4. 水(수) + 田(전)
5. 어릴 夭(요) + 물 氵(수)
6. 황새 雚(관) + 물 氵(수)
7. 이미 旣(기) + 물 氵(수)
8. 병부 卪(절) + 물 氵(수)
9. 볼 監(감) + 물 氵(수)
10. 함께 共(공) + 물 氵(수)

1. 물 氵(수) + 穴(혈) + 木(목)
2. 물 氵(수) + 끾(소)
3. 물 氵(수) + 每(매)
4. 白(백) + 水(수)
5. 물 氵(수) + 古(고) + 月(월)
6. 물 氵(수) + 睪(역)
7. 물 氵(수) + 羊(양)
8. 물 氵(수) + 也(야)
9. 부를 끾(소) + 물 氵(수)
10. 엿볼 睪(역) + 물 氵(수)
11. 어조사 也(야) + 물 氵(수)
12. 옳을 可(가) + 물 氵(수)
13. 턱 밑살 胡(호) + 물 氵(수)
14. 깊을 심(글자의 오른편) + 물 氵(수)

1. 물 氵(수) + 回(회) + 又(우)
2. 물 氵(수) + 尤(유)

3. 물 氵(수) + 白(백)
4. 물 氵(수) + 巷(항)
5. 말이을 연 + 弓(궁) + 물 氵(수)
6. 물 氵(수) + 늪 연(글자의 우편)
7. 물 氵(수) + 弱(약)
8. 물 氵(수) + 甫(보)
9. 거리 巷(항) + 물 氵(수)
10. 굽을 彎(만) + 물 氵(수)
11. 클 甫(보) + 물 氵(수)
12. 붓 聿(율) + 물 氵(수)
13. 고기 魚(어) + 물 氵(수)
14. 평평할 만 + 물 氵(수)
15. 머뭇거릴 尤(유) + 물 氵(수)
16. 빠질 몰(글자의 우편) + 물 氵(수)
17. 약할 弱(약) + 물 氵(수)

1. 물 氵(수) + 水(수) + 皿(명)
2. 물 氵(수) + 包(포)
3. 물 氵(수) + 末(말)
4. 물 氵(수) + 朝(조)
5. 가죽 皮(피) + 물 氵(수)
6. 목숨 壽(수) + 물 氵(수)
7. 쌀 包(포) + 물 氵(수)
8. 끝 末(말) + 물 氵(수)
9. 아침 朝(조) + 물 氵(수)

1. 반드시 必(필) + 물 氵(수)
2. 집 샐 루(글자의 우편) + 물 氵(수)
3. 설 立(립) + 물 氵(수)
4. 혀 舌(설) + 물 氵(수)
5. 밤 夜(야)+ 물 氵(수)

1. 巛(천) + 火(화)
2. 川(천) + 頁(혈)
3. 言(언) + 川(천)
4. 辶(착) + 巛(천)
5. 川(천) + 丶(주)
6. 州(주) + 물 氵(수)
7. 내 川(천) + 머리 頁(혈)
8. 개미허리 변 巛(천) + 갈 辶(착)
9. 내 川(천) + 말씀 言(언)
10. 고을 州(주) + 물 氵(수)

1. 糸(사) + 지하수 巠(경)

2. 彳(척) + 坙(경)

3. 車(차) + 坙(경)

4. 一(일) + 巛(천) + 工(공)

5. 지하수 坙(경) + 조금 걸을 彳(척) – 捷徑(첩경)/
徑路(경로)/直徑(직경)

6. 지하수 坙(경) + 실 糸(사) – 經營(경영)/經濟

7. 지하수 坙(경) + 수레 車(거) – 輕重(경중)

8. 지하수 坙(경) + 머리 頁(혈) – 頸椎(경추)

9. 지하수 坙(경) + 병들 疒(역) – 痙攣(경련)

1. 雨(우) + 云(운)   2. 雨(우) + 路(로)

3. 雨(우) + 彐(계)   4. 雨(우) + 相(상)

5. 이를 云(운) + 비 雨(우)

6. 길 路(로) + 비 雨(우)

7. 힘쓸 務(무) + 비 雨(우) – 霧散(무산)

8. 번개 申(신) + 비 雨(우)

9. 서로 相(상) + 비 雨(우)

10. 쌀 包(포) + 비 雨(우)

---

1. 雨(우) + 口(구)3개 + 무당 巫(무)

2. 忄(심) + 需(수) – 懦弱(나약)

3. 氵(수) + 집 샐 루   4. 亻(인) + 需(수)

5. 雨(우) + 令(령)   6. 雨(우) + 辰(진)

7. 명령 令(령) + 비 雨(우)

8. 구할 需(수) + 사람 亻(인)

9. 때 辰(진) + 비 雨(우)

10. 집 샐 루 + 물 氵(수)

1. 冫(빙) + 疑(의)

2. 冫(빙) + 令(령)

3. 冫(빙) + 東(동)

4. 冫(빙) + 京(경)

5. 宀(면) + 共(공)의 변형 + 冫(빙)

6. 夂(치) + 冫(빙)

7. 冫(빙) + 隹(추)

8. 丶(주) + 水(수)

9. 얼음 冫(빙) + 물 水(수)

10. 명령 令(령) + 얼음 冫(빙)

11. 동녘 東(동) + 얼음 冫(빙)

12. (언덕 陵(능)의 우측) 넘을 릉 + 얼음 冫(빙)

13. 클 京(경) + 얼음 冫(빙)

14. 의심할 疑(의) + 얼음 冫(빙)

1. ++(초) + 日(일) + 十(십)

2. 屮(철) + 土(토)

3. 丰(봉) + 井(정)의 변형

4. ++(초) + 屯(둔) + 日(일)

---

1. 屮(철) + 屮(철) + 屮(철)

2. 屮(철) + 屮(철)

3. 屮(철) + 屮(철) + 屮(철) + 屮(철)

---

1. ++(초) + 世(세) + 木(목)

2. 世(세) + 貝(패)

3. 氵(수) + 世(세)

4. 十(십) + 十(십) + 十(십)

5. 세상 世(세) + 조개 貝(패)

6. 세상 世(세) + 물 氵(수)

7. 엷을/모진 나무 엽 + 풀 ++(초)

---

1. ++(초) + 勹(포) + 米(미)

2. ++(초) + 之(지)   3. ++(초) + 巴(파)

4. ++(초) + 匍(포)   5. 갈 之(지) + 풀 ++(초)

6. 큰 뱀 巴(파) + 풀 ++(초)

7. 어찌 曷(갈) + 풀 ++(초)

8. 엉금엉금 길 匍(포) + 풀 ++(초)

9. 물 솟을 滕(등) + 풀 ++(초)

10. 잇닿을 連(련) + 풀 ++(초)

11. 9번과 동일

---

1. ++(초) + 疋(소) + 流(류)의 생략형

2. ++(초) + 人(인) + 木(목)

3. ++(초) + 牙(아)

4. ++(초) + 田(전)

5. 될 化(화) + 풀 ++(초)

6. 즐길 樂(락) + 풀 ++(초)

7. 어금니 牙(아) + 풀 ++(초)

8. 모 方(방) + 풀 ++(초)

9. 가운데 央(앙) + 풀 ++(초)

10. 석 參(삼) + 풀 ++(초)

11. 없다 + 田(전)과 ++(초) 모두 의미요소

12. 풀 ++(초) + 모두가 다 의미요소

13. 트일 疏(소) + 풀 ++(초)

---

1. 害(해) + 目(목) + 心(심)

2. 廾(공) + 丰(봉)

3. 宀(면) + 어지러울 丰(개) + 口(구)

1. 氵(수) + 九(구) + 木(목)
2. 隹(추) + 木(목)
3. 田(전) + 木(목)
4. 加(가) + 木(목)
5. 더할 加(가) + 나무 木(목)
6. 없다 + 모든 글자가 다 의미요소
7. 없다 + 모든 글자가 다 의미요소

1. 木(목) + 十(십) + 豆(두) + 寸(촌)
2. 木(목) + 才(재)
3. 亻(인) + 木(목)
4. 木(목) + 木(목)
5. 재주 才(재) + 나무 木(목)
6. 없음 + 글자 모두가 다 의미요소
7. 세울 尌(주) + 나무 木(목)

1. 重(중) + 力(력)
2. 阝(부) + 車(거)
3. 人(인) + 東(동)
4. 阝(부) + 東(동)
5. 동녘 東(동) + 얼음 冫(빙)
6. 동녘 東(동) + 나무 木(목)
7. 무거울 重(중) + 힘 力(력)

1. 金(금) + 柬(속) + 八(팔)
2. 扌(수) + 柬(간)
3. 柬(속) + 八(팔)
4. 糸(사) + 柬(간)
5. 가릴 柬(간) + 실 糸(사)
6. 가릴 柬(간) + 쇠 金(금)
7. 가릴 柬(간) + 불 火(화)

1. 竹(죽) + ㄱ(계) + 聿(율)의 아랫부분
2. 竹(죽) + 耤(적)
3. 竹(죽) + 卽(즉)
4. 竹(죽) + 官(관)
5. 竹(죽) + 間(간)
6. 竹(죽) + 合(합)
7. 竹(죽) + 寺(사)
8. 竹(죽) + 聿(율)
9. 사이 間(간) + 대 竹(죽)
10. 서로 相(상) + 대 竹(죽)
11. 아우 弟(제) + 대 竹(죽)
12. 적전 耤(적) + 대 竹(죽)

13. 벼슬 官(관) + 대 竹(죽)
14. 곧 卽(즉) + 대 竹(죽)

1. 糸(사) + 戶(호) + 冊(책)
2. 冂 + 冂 + 一(일)
3. 竹(죽) + 扁(편)
4. 冊(책) + 廾(공)
5. 口(구) + 冊(책) + 司(사)
6. 亻(인) + 扁(편)
7. 木(목) + 冊(책)
8. 辶(착) + 扁(편)
9. 책 冊(책) + 나무 木(목)
10. 넓적할 扁(편) + 사람 亻(인)
11. 넓적할 扁(편) + 대 竹(죽)
12. 맡을 司(사) + 口(구) + 冊(책)

1. 車(차) + 厶(집) + 冊(책)
2. 厶(집) + 冊(책)
3. 亻(인) + 侖(륜)
4. 言(언) + 俞(유)
5. 조리 侖(륜) + 사람 亻(인)
6. 조리/둥글 侖(륜) + 수레 車(거)
7. ④   8. ④

1. 爿(장) + 月(월) + 寸(촌) + 犬(견)
2. 壯(장) + 衣(의)
3. 爿(장) + 月(월) + 寸(촌)
4. 爿(장) + 犬(견)
5. 將(장) + 酉(유)
6. ++(초) + 壯(장)
7. 爿(장) + 士(사)
8. 왼편 + 오른편
9. 나뭇조각 爿(장) + 선비 士(사)
10. 씩씩할 壯(장) + 옷 衣(의)
11. 장차/장군 將(장) + 개 犬(견)
12. 장차/장군 將(장) + 술 酉(유)
13. ③ - 형상/모양 狀(장/상) - 狀況(상황)/令狀(영장)/狀態(상태)/請牒狀(청첩장)
14. ④ - 奬勵(장려)

1. 하나씩 분해해보시기 바람
2. 片(편) + 反(반)
3. 片(편) + 卑(비)
4. 낮을 卑(비) + 조각 片(편)
5. ② - 조각 片(편)
6. ③ - 再版(재판)/板子(판자)

자 연

천체

1. 日(일) + 羽(우) + 隹(추)
2. 日(일) + 十(십)　　　3. 日(일) + 一(일)
4. 日(일) + 京(경)
5. 聿(율) + 日(일) + 一(일)
6. 日(일) + 央(앙)　　　7. 貝(패) + 曾(증)
8. 貝(패) + 宁(저)
9. 되 升(승) + 해 日(일)
10. 푸를 靑(청) + 해 日(일)
11. 높을 京(경) + 해 日(일)
12. 면할 免(면) + 해 日(일)
13. ③ - 旭日昇天(욱일승천)
14. ③

1. 부(阝) + 단(旦) + 물(勿)
2. 월(月) + 양(昜)　　　3. 토(土) + 양(昜)
4. 일(日) + 물(勿)　　　5. 패(貝) + 일(日) + 물(勿)
6. 단(旦) + 물(勿)　　　7. 신(申) + 양(昜)
8. 수(氵) + 양(昜)
9. 볕 양(昜) + (언덕 부(阝) 포함 모든 글자)
10. 볕 양(昜) + (손 수(扌) 포함 글자 모두)
11. 볕 양(昜) + (병들어 기댈 역(疒)포함 글자 모두)
12. 볕 양(昜) + 나무 목(木)
13. ③　　　　　　　14. ④
15. ①　　　　　　　16. ②

1. 수(扌) + 일(日) + 정(正)의 변형
2. 언(言) + 자(者)
3. 일(日) + 정(正)의 변형
4. 토(土) + 시(是)
5. ③
6. ② - 난이도(難易度)/역지사지(易地思之)

1. 토(土) + 두(亠) + 회(回) + 단(旦)
2. 목(木) + 단(亶)
3. 두(亠) + 회(回) + 단(旦)
4. 일(日) + 일(一)
5. 아침 단(旦) + 사람 인(亻)

6. 믿음 단(亶) + 흙 토(土)
7. 믿음 단(亶) + 나무 목(木)
8. ②

1. 수(扌) + 비(匕) + 일(日)
2. 월(月) + 지(旨)　　　3. 비(匕) + 일(日)
4. 백(白) + 비(匕)
5. 맛있을 지(旨) + 손 수(扌)
6. 맛있을 지(旨) + 육(肉)달 월(月)
7. ③

1. 시(矢) + 구(口) + 일(日)
2. 일(日) + 생(生)
3. 일(日) + 일(日)
4. 일(日) + 왕(王)
5. 임금 왕(王) + 해 일(日)
6. 알 지(知) + 해 일(日)
7. ③ 수정(水晶)

1. 수(氵) + 일(日) + 공(共) + 수(氺)
2. 일(日) + 공(共) + 수(氺)
3. 화(火) + 폭(暴)
4. 공(廾) + 대(大) + 수(氺)
5. 사나울 폭(暴) + 불 화(火)
6. 사나울 폭(暴) + 물 수(氺)
7. ② - 폭/포
8. ④

1. 수(氵) + 일(日) + 비(比)
2. 일(日) + 비(比)
3. 목(木) + 곤(昆)
4. 언(言) + 보(普)
5. 널리 보(普) + 말씀 언(言)
6. 형 곤(昆) + 나무 목(木)
7. ③

1. 주(丶) + 일(日)　　　2. 일(一) + 백(白)
3. 인(亻) + 백(白)　　　4. 주(舟) + 백(白)
5. 착(辶) + 백(白)　　　6. 수(氵) + 백(白)
7. 흰 백(白) + 한 일(一)
8. 희 백(白) + 사람 인(亻)
9. ④
10. ④ 백부(伯父)/백중지세(伯仲之勢)

1. 초(艹) + 일(日) + 초(艹) + 일(日)
2. 씨(氏) + 일(日)

3. 일(日) + 음(音)

4. 일(日) + 면(免)

5. 멱(冖) + 일(日) + 공(廾)

6. 목(目) + 명(冥)

7. 면할 면(免) + 해 일(日) – 만찬(晩餐)

8. 어두울 명(冥) + 눈 목(目)

9. ① 맹인(盲人)

---

1. 알(歹) + 포(勹) + 일(日)

2. 포개어쌓음(공(共)의 생략형) + 일(日)

3. 포(勹) + 일(日)　　　4. 일(日) + 사(乍)

5. 일(日) + 빌릴 가(叚)　6. 일(日) + 사(寺)

7. 일(日) + 사(乍)　　　8. 서(書) + 일(一)

9. 빌릴 가(叚) + 해 일(日)

10. 열흘 순(旬) + 뼈 알(歹)

11. ④

---

1. 초(艹) + 뢰(耒) + 석(昔)

2. 심(忄) + 석(昔)

3. 죽(竹) + 뢰(耒) + 석(昔)

4. 인(亻) + 석(昔)

5. 적전 적(耤) + 대 죽(竹)

6. 예 석(昔) + 마음 심(忄)

7. 대 죽(竹)과 풀 초(艹)만 다른 글자로 책의 재료인 대 죽(竹)과 깔개의 재료인 풀 초(艹)의 차이

---

1. 엄(厂) + 이(二) + 빌 가(叚)의 우편

2. 인(亻) + 빌릴 가(叚)

3. 일(日) + 가(叚)

4. 빌릴 가(叚) + 해 일(日)

5. 빌릴 가(叚) + 사람 인(亻)

6. ①

---

1. 수(氵) + 망(舛) + 일(日)

2. 월(月) + 막(莫)　　　3. 막(莫) + 일(日)

4. 면(宀) + 막(莫)　　　5. 망(舛) + 일(日)

6. 목(木) + 막(莫)　　　7. 언(言) + 막(莫)

8. 막(莫) + 토(土)　　　9. 막(莫) + 건(巾)

10. 수(氵) + 막(莫)　　　11. 막(莫) + 심(忄)

12. 막(莫) + 력(力)

13. 없을 막(莫) + 육(肉)달 월(月)

14. 물 수(氵) + 없을 막(莫)

15. ①　　　　　　　16. ①

---

1. 여(女) + 씨(氏) + 일(日)

2. 사(糸) + 씨(氏)

3. 씨(氏) + 일(日)

4. 목(目) + 민(民)

5. 면(宀) + 일(日) + 여(女)

6. 분해 불가능

7. 어두울 혼(昏) + 계집 여(女)

8. ②

---

1. 엄(厂) + 씨(氏) + 일(一)

2. 인(亻) + 저(氐)

3. 씨(氏) + 일(一)

4. 수(扌) + 저(氐)

5. 근본 저(氐) + 집 엄(厂)

6. 근본 저(氐) + 손 수(扌) – 저항(抵抗)

7. ①

---

1. 망(亡) + 월(月) + 정(壬)

2. 일(日) + 월(月)

3. 기(其) + 월(月)

4. 량(良) + 월(月)

5. 망할 망(亡) + (달 월(月)+까치발 정(壬))

6. 그 기(其) + 달 월(月)

7. ② – 소망(所望)/희망(希望)

---

1. 수(氵) + 거스를 역 + 월(月)

2. 거스를 역 + 착(辶)

3. 거스를 역 + 월(月)

4. 숨찰 궐 + 엄(厂)

5. 초(艹) + 일(日) + 월(月)

6. 구(口) + 조(朝)

7. 수(氵) + 조(朝)

8. 문(門) + 숨찰 궐

9. 아침 조(朝) + 물 수(氵)

10. 아침 조(朝) + 입 구(口)

11. ②

---

1. 육(肉)달 월(月) + 부(缶) + 착(辶)

2. 언(言) + 질그릇/술병 요(月+缶)

3. 수(扌) + 질그릇/술병 요(月+缶)

4. 유(有) + 시(示)

5. 육(肉)달 월(月) + 견(犬) + 화(灬)

6. ②

유튜브에 동영상 강의 공개!

https://youtu.be/d5AojpxoFYo

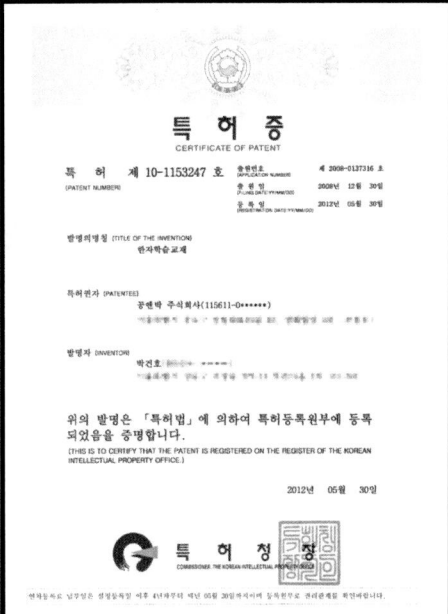

분해조립식 한자학습법 특허증

KONG & PARK

ISBN 978-89-966216-4-5
ISBN 978-89-966216-0-7 (세트)

값 6,000원

분해하고 조립하면 바로바로 암기되는
신기한 **한자학습법**!

분해조립식
한자학습법
특허 등록
제10-1153247

특허받은
분해조립식
한자 자연篇

공앤박 한자연구소 박건호 著

漢字

한자 외우지 말고 이해하자!

부수자 · 상용한자 등 3,411자 망라(세트)
교육부지정 2~8급 한자 전체 수록(세트)
각 한자의 부수자 · 어휘 · 요약 표기
복습을 위한 확인학습문제 포함

KONG & PARK